황제의
비망록

KB212415

* 이 책은 ㈜디앤씨미디어가 저작권자와의 계약에 따라 발행한 것으로 저작권법의 보호
  를 받는 저작물입니다. 본 서의 내용을 무단 전재 및 무단 복제하는 것을 금합니다.
* 작가와의 협의에 의해 인지는 생략합니다.

라벨 클럽 004

황제의 비망록

- 황제의 외동딸 -
외전

윤슬 장편소설

파피루스

황제의 비망록

황제의 비망록

"넌 부디…… 네 자식에겐 좋은 아버지가 되거라."

불현듯 떠오른 말이 메아리처럼 귓가에 머무른다. 돌연 수면 위로 떠오른 기억에 카이텔은 바로 인상을 찌푸렸다.

낯선 음성과 함께 떠오른 흐릿한 미소.

바로 눈앞에 보이는 듯한 잔상에 불쾌한 감각이 스멀스멀 기어오른다. 카이텔은 이를 꽉 물었다. 얌전히 책을 읽던 황제의 갑작스런 살기에 시중을 들던 시녀들이 겁에 질려 파르르 떤다. 그러거나 말거나 카이텔은 갑자기 떠오른 옛 기억에 대놓고 불쾌해 했다.

이게 대체 언제 적 기억이더라.

제 기억을 더듬어 본다. 기억이 나지 않을 거라 생각했는데 의외로 그 기억은 무척이나 생생히 되살아났다. 그게 그러니까 벌써 십 년 가까이 지나간 아스라한 옛 기억이다. 너무 옛날이라 갈기갈기 찢겨서 기억하는 것마저도 신기한 그런 기억. 그러나 마치 어제처럼 생생했다.

쾅!

다시 기분을 갉아먹는 더러운 느낌에 카이텔은 읽던 책을 덮었다. 쾅 소리가 방 안에 생생하게 울린다. 이미 시녀들은 피신한 지 오래였다. 그러거나 말거나 카이텔은 이마를 짚으며 길게 숨을 내쉬었다.

오랜만에 쉬어 볼까 했더니.

별 거지 같은 기억이 기분을 시궁창으로 만든다. 초인적인 인내로 참고 있긴 하지만 마음 같아선 아무거나 붙잡고 난도질이라도 하고 싶었다. 참으로 오랜만에 느껴 보는 충동이다.

"아버지라."

시니컬한 목소리가 냉큼 기억 속의 목소리를 비웃는다.

아, 그래, 그 말은 아버지라는 존재가 그에게 마지막으로 남긴 말이었다.

흔히들 유언이라 하던가?

"하."

단번에 비웃고 카이텔은 자리에서 일어섰다. 일을 안 하니까 헛생각이나 떠오르는 거다.

방금까지만 해도 일하다가 집무실에서 쫓겨난 처지였지

만 카이텔은 망설임 없이 다시 그곳으로 향했다. 그 짧은 거리를 걷는 동안 잠깐씩 마주친 시녀들의 꼬라지를 보건대 이미 황제의 기분 상태가 저조하다는 소식은 순식간에 궁 안에 퍼진 모양이었다. 하긴 제 목숨이 왔다 갔다 하는 사안이니 빠를 수밖에. 다들 어떻게 해서든 눈에 띄지 않으려고 숨을 죽인다. 그 벌레 같은 모습을 흘긋 보다 카이텔은 곧 흥미를 잃었다.

겁에 질린 걸 짓누르는 건 전혀 즐겁지 않다.

그래도 요즘은 괜찮은 편이었다. 멋모르고 그저 날뛰던 예전이었다면 이미 피를 보고도 남았을 테니. 그래, 그 시절이었다면 이미 눈에 뵈는 게 없이 거슬리는 건 닥치는 대로 치워 버렸을 거다.

새삼 자신이 얼마나 개차반인가를 깨달으며 카이텔은 자조했다. 호사가들은 나이를 먹더니 황제가 제정신을 차렸다고 떠들어 댔지만 그 이유 때문이 아니라는 건 누구보다 본인이 더 잘 알고 있었다. 고작 나이 몇 살 더 처먹는다고 죽어 나갈 성질머리가 아니었으니까. 그런 것이었다면 그의 성정은 이미 먼 옛날에 고쳐지고도 남았다.

도착한 집무실에 들어서자 방금 전에 그를 쉬라고 내보냈던 집사장Lord Steward, 혹은 집사 장관. 왕의 측근에서 왕실의 대소사를 총괄한 직위. 현재의 대통령 비서실장이 바로 인상을 찌푸리며 걱정스런 시선을 보낸다. 허나 지금 건들면 본인도 살아남지 못할 거라는 사실을 눈치챈 모양인지 아까 전처럼 등을 떠밀며 내

보내진 않았다. 카이텔은 자리에 앉으며 바로 명령했다.

"아까 처리하던 보고서 가져와."

불만 가득한 표정이지만 군말 없이 서류철이 바로 앞에 쌓인다. 그나마 일거리가 쌓여 있는 걸 보니 기분이 살짝 나아졌다.

웃기는군.

카이텔은 스스로도 이상한 상황이라 생각하며 피식 웃었다. 서류 하나를 집어 들어 그 안의 내용을 읽어 나갔다.

그래, 매번 전쟁터로 뛰어나가 날뛰며 풀던 성질을 이젠 이런 식으로 풀고 있다. 쌓인 서류 더미를 다 처리하며 느끼는 성취감이라니. 스트레스 풀이 한 번 고약하다고 스스로도 생각한다. 그러나 언제부터인가 모를 정도로 이젠 완전히 굳어져 버린 버릇이었다. 한 번씩 피가 튀고 살이 긁히는 전쟁터를 전전하던 버릇을 대신하게 된 일. 이젠 사람을 긋는 것보다 더 익숙했다.

서류를 붙잡고 있으려니 바닥으로 치닫던 기분이 슬그머니 나아진다. 그러면서 문득 아까 떠올랐던 기억이 괜스레 다시 떠올랐다.

"넌 부디 네 자식에겐 좋은 아버지가 되거라."

그것은 19살의 어느 날, 아비를 끌어내리고 그 자리에 오르려는 카이텔에게 부황이 남긴 유언.

유산 하나 없이 죽는 건 좀 그렇다며 제 형을 벤 검을 유산이랍시고 남겨 주던 아버지라는 남자. 결코 좋은 기억이 하나도 없는 사람이었지만 방치하듯 쳐다보지도 않았던 제 아들에게 내뱉은 마지막 말마저도 그따위라니.

카이텔은 진심으로 그를 경멸했다.

감히 자기가 무엇이관데 그런 충고를 한단 말인가. 그 일 때문인지는 몰라도 그 이후, 자식으로 그를 옭아매려는 여자들을 죽이는 데에 더 망설임이 없던 것은 사실이었다.

자식 같은 건 정말 필요 없었으니까.

"좋은 아버지라……."

굳이 그게 아니라고 해도 애초에 카이텔은 아버지 같은 건 되고 싶은 마음조차 없었다. 딱히 아버지의 유언이랄 것도 없는 그 말 때문만은 아니었다.

이렇게 생겨 먹은 인간에게 나온 자식 따위, 보지 않아도 뻔할 게 자명하지 않은가? 하물며 그 어미도 그 모양인데, 제대로 된 인간이 나올 리가 없다. 더욱이 그로서는 권력과 지위에 눈 먼 여인들을 너그럽게 봐줄 자비 따위는 더더욱 없었다.

"후……."

머리를 쓸어 올리며 카이텔은 다시 가라앉는 기분에 서류를 덮었다. 기분이 더 최악으로 치닫는 건 아니었지만 무언가 짜증스러웠다. 안타깝게도 고작 서류 처리로는 해결될 개제가 아니다.

서류의 내용도 그런 식으로 해결해 댈 문제들이 아니었

다. 아그리젠트의 영토가 예전보다 더 넓어진 만큼 이 나라에서 일어나는 문제는 산더미였고, 풀어 가야 할 숙제는 그의 두 배였다. 당장에 어느 하나가 크게 터져도 이상하지 않을 상태이건만 그럼에도 넘치지도 모자라지도 않게 잘 관리되는 건 온전히 페르델의 능력이었다. 그의 능력이라는 건 사실 꽤나 쓸모가 있었다.

괜히 재상 자리에 앉혀 놓은 게 아니지.

그런 능력이라도 없었으면 그 자식은 이미 제 손에서 목숨이 끝장난 지 오래였다. 어제도 잔뜩 깐죽대던 걸 팼던 기억을 떠올리며 카이텔은 자리에서 일어섰다.

도저히 이대로는 안 되겠다.

이왕 이렇게 된 거 연무장에라도 가서 몸을 풀 생각이었는데, 그 생각을 하자마자 집무실의 문이 벌컥 열린다.

감히 황제의 집무실에 어떤 인간이 저리도 당당하게 들어온단 말인가. 그 생각을 하자마자 쫄랑쫄랑 작은 체구의 여자아이가 모습을 드러냈다. 익숙하면서도 낯선 존재. 리아가 카이텔을 보더니 바로 도도도도 달려온다. 그 모습을 보자마자 찰나이지만 카이텔의 표정이 잠깐 풀렸다.

"아빠!!"

달려오는 어린아이는 고작 카이텔의 무릎 정도 오는 키였다. 아주 작고 여린 생명체. 잘못 쥐면 부러질 것 같다. 그 생각은 도무지 인간처럼 보이지 않던 아기였을 때부터 쭉 이어져 온 감상이었지만 아직도 여전했다.

다가온 리아가 바지 자락을 꼭 붙들더니 방긋 웃는다. 별거 아닌 평범한 미소이건만, 그럼에도 아까부터 쭉 쌓여 있던 정체 모를 불쾌함이 마치 봄 눈 녹듯 사그라진다.

그것은 뭐랄까. 무척이나 기묘한 기분이었다.

"……우리 따님이 집무실엔 웬일이지?"

자연스레 들어 품에 안으니 익숙하다는 듯 안기며 아이가 또 웃는다. 해맑고 더없이 천진한 미소.

"그냥 왔는데?"

뭐가 문제냐는 듯 리아가 빤히 올려다본다. 뻔뻔하기도 하고 너무 당당한 대답이라 카이텔은 순간 웃어 버렸다. 익숙한 일상이었는데 막상 이러고 있으려니 기묘한 괴리감이 느껴진다.

딸이라.

그러고 보니 나에게 언제부터 딸이란 존재가 생긴 거지?

부모가 될 생각이 그렇게나 없었는데 말이다. 의아했다. 아무런 계획도 없었고, 심지어 어떤 의도로 만든 딸도 아닐진대 모든 그의 것에서 벗어난 예외의 연장 선상에 어느새 그에겐 딸이 생겨 버렸다.

이젠 그 무엇보다도 익숙해진 리아를 내려다보며 카이텔은 순간 그런 생각을 했다. 어쩌다 이렇게 된 걸까?

그러다 이내 마주친 눈동자를 보며 멍청하게 깨닫는다.

그래, 이 눈동자가 흥미로워 내버려 뒀었노라고. 그러나 그땐 그저 한순간의 변덕일 뿐이었노라고. 맞다. 처음엔 분명 그랬다.

"아빠?"

스스로는 어찌 되든 자식을 낳는 것 하나만을 간절히 원했던 어느 멍청한 여자와 한순간의 충동으로 이 아이를 살려 둔 자신. 둘 중 누가 더 멍청한지는 알 수 없으나 분명 처음엔 이런 감정은 아니었다고 회고한다.

처음엔 그저······.

심심함을 달래 줄 유희거리. 고작 그 정도였다.

할 줄 아는 거라고는 우는 거랑 웃는 것, 그리고 먹는 거랑 자는 것밖에 없는 주제에 인간이랍시고 입을 옹알대고 몸을 뒤집고 기기 시작하는 모습이 신기해서 저도 모르게 곁에 두기 시작한 것이 화근이었을까? 이 아이가 자라 아비가 이런 인간이라는 걸 알면 대체 어쩔까 궁금해서 지켜보기 시작한 것이 문제였을까? 자신의 처지를 비관할지, 아니면 잘 적응해서 살아갈지 그저 궁금했던 게— 잘못된 일이었나?

모르겠다.

예전엔 분명 그런 게 신기하고 궁금했었던 것 같은데, 어느새 그런 것 따위 다 잊어버렸다. 이젠 기억마저 나지 않을 정도.

참으로 신기한 일이었다.

"아빠!"

자신도 가지고 있는 붉은 눈동자가 천진하게 빛난다. 말없이 빤히 쳐다보자 의아한 듯 고개를 갸웃하는 딸의 행동은 그 하나하나가 너무나도 뻔했다. 뻔해도 너무 뻔하게 속 속들이 들여다보여서 이렇게 지켜보는 것마저 무의미할 정도. 이렇게 밑바닥까지 다 보이는데, 이런 사람이 또 어디 있을까.

카이텔은 그저 웃었다. 자기 같은 인간 앞에서 아무 이해 관계도 없이 이렇게 속이 다 비치는 눈동자를 할 수 있는 건 이 어린아이뿐이라는 걸 누구보다도 잘 알고 있다.

대체 어느새 이런 존재가 되었담.

이제는 제 맘대로 죽일 수도 없는 딸을 내려다보며 카이텔은 물었다.

"아시시는 어디 간 거지?"

평소 딸 곁에 그림자처럼 따라붙는 수호기사의 부재에 의아했으나 리아는 그저 제 주변을 돌아보더니 고개만 갸우뚱했다.

"몰라. 어디 갔지?"

별거 아닌 작은 행동인데, 그 하나하나가 제법 나쁘지 않다. 카이텔은 괜히 딸의 뺨에 손을 가져다 댔다. 귀찮은지 인상을 찌푸리면서도 리아는 그 손을 내치지 않았다.

……없었을 땐 몰랐다만 막상 생기니. 그래, 딸이라는 거 사실은 꽤 괜찮았다.

"아, 맞다!"

갑자기 무언가가 생각난 듯 몸을 흔든다.

이건 놓아 달라는 표시. 카이텔이 바닥에 리아를 놓아주니 갑자기 제 품에서 주섬주섬 무언가를 꺼내 든다. 카이텔은 주의 깊게 리아의 모습을 지켜보았다.

품에서 꺼낸 건 어떤 얇은 종이 뭉치였다. 뭐라 적혀 있는 건 보였는데, 아직 글을 잘 읽지 못하는 리아가 둘 다 펼쳐 들더니 고개를 갸웃거린다. 바로 코앞에 글자를 읽을 줄 아는 아버지가 서 있건만 혼자 끙끙대며 고민하더니 도무지 모르겠는지 돌연 옆에 서 있던 집사장에게 시선을 준다.

"이거랑 이거 어느 거 주면 돼요?"

그 모습이 귀여워 죽겠는지 집사장이 흐뭇한 표정으로 한쪽을 가리켰다.

그러자 뭐가 좋은 건지 신이 나서 리아가 종이를 가져왔다.

아니, 바로 앞에 글자를 아는 사람이 있는데 굳이 왜 저 집사장한테 묻는 거지? 이해가 가지 않았으나 카이텔은 그런 불만을 직접 표시하진 않았다. 리아가 손을 내민다.

"자, 이거."

건네받은 건 쪽지였다. 따님이 해맑게 웃는다.

"페르델이 전해 달래!"

이게 대체 무슨 내용의 쪽지인지는 알고 이렇게 좋아하는 건가? 의아했으나 뿌듯해 하는 딸의 표정을 사라지게 하고 싶진 않았다. 가끔은 괴롭히고도 싶지만 이렇게 기분 좋은 채로 내버려 두는 것도 나쁘지는 않았으니까.

리아가 건네준 얇은 종이엔 대충 휘갈겨 쓴 글씨로 페르델의 용건이 적혀 있었다.

나도 오늘 저녁 황궁에서 먹을래. 껴 줘.

리아를 보니 다른 종이는 대체 뭔지 다시 얌전히 접어서 품 안에 잘 갈무리한다. 딸이 하는 걸 훔쳐보다 카이텔은 페르델의 쪽지를 던져 버렸다.

"산책 갈까?"

카이텔의 질문에 리아가 고개를 갸웃한다.

어린아이가 고개를 좌우로 크게 갸웃하는 모습은 그래도 꽤나 봐줄 만했다. 예전엔 분명 멍청해 보인다고 생각했는데 말이지. 같은 행동인데 이렇게 다른 감상이 나올 수 있는 건가 생각해 보다 카이텔은 그저 웃었다.

카이텔이 손을 뻗자 그 손에 고사리 같은 손이 얹어진다.

"그래도 돼?"

일하는 거 아니었냐는 물음이었으나 카이텔은 가볍게 무시했다. 다시 품에 안은 딸은 여전히 한없이 가벼웠다.

"그래도 돼."

*   *   *

유난히 딸을 가까이 한다는 건 스스로도 잘 알고 있다.

황제의 지극한 총애를 받는다며 외국에까지 소문이 퍼져도 별 반박을 못할 정도로 옆에 끼고 사는 건 사실이었으니까.

점심과 저녁을 같이 먹는 건 기본이고, 같은 침실에 같은 침대에서 잠까지 자는 사이인 걸 두고 사이가 좋다고 하지 않으면 대체 무어라고 표현한단 말인가. 물론 그렇게 된 데에는 다른 이유가 있었지만 주위에서 보기에는 충분히 딸을 아끼는 아버지의 모습이라 카이텔은 할 말이 없었다.

"너도 공주님의 매력에 퐁당 빠지든 거지, 뭐야."

헛소리하는 페르델은 장식된 물병을 던지는 걸로 입 다물게 하고 카이텔은 찬찬히 회고했다.

언제부터 그랬더라?

아이를 곁에 두기 시작한 건 확실히 신기해서였다.

손으로 짓누르면 변변한 저항도 못해 보고 죽을 것 같은 게 사람 흉내를 내는 게 신기해서라고 해야 할까? 알아듣지 못할 게 분명한데, 가끔 쳐다보고 있으면 말길을 알아듣는 듯한 느낌도 간혹 받았다.

그런 게 뭐랄까……. 재미있었다. 그래, 그랬다.

근데 그런 게 걷고 말을 하기 시작하더니 어느새 사람이 되어 훌쩍 자랐다. 어떻게 된 건지 모를 정도로 완전히 사람이 다 된 딸의 모습을 보면 여전히 가끔씩은 기분이 이상하다.

이게 그 작고 이상하게 생겼던 생물이 맞는 건가?

안아 드는 것도 조심해야 했던 시절을 생각하면 저렇게 뛰어노는 것도 가끔은 불안하다. 그래도 카이텔은 잠자코 지켜보았다. 저렇게 뛰어노는 모습도 별로 나쁘지는 않았으니까. 도리어 제가 자랄 적을 생각해 보면 상상도 가지 않는 풍경이었다.

하지만 제법— 나쁘지 않다.

어릴 적부터 희사원을 유난히 좋아하는 터라 아예 후원을 만들어 주었다. 그곳에서 리아가 뛰어논다.

물론 별거 없는 들판인데 저기서 노는 게 뭐가 좋은 건지 맨날 여기에만 처박혀 있는 게 간혹 이해가 가지 않기도 했다. 대체 뭐가 좋다는 거지?

그래도 이런 것 덕에 제 따님에겐 이 황궁이 그와는 달리 조금쯤은 편안하고 좋은 곳이라고 여겨질 거라 생각하니 무언가 기분이 좀 낫다. 그래 봤자 그에게는 역겨운 곳이라는 사실이 변하지는 않지만.

"나도 공주님 같은 딸 가지고 싶다, 힝."

옆에서 페르델이 울상을 짓는다. 아들이 둘이나 되면서 바라는 거 하곤.

"영원히 가질 수 없는 걸 바라는군."

"왜! 나도 가질 수 있어! 두고 봐! 나도 꼭 딸 낳을 거야!"

한심함이 이루 말할 수 없어 정신 차리라고 뒤통수라도 휘갈기고 싶었지만 카이텔은 그저 징징대는 페르델을 무시했다. 한두 번이어야 반응을 하지 너무 흔한 상황이라 상대하기도 귀찮다.

그사이 스치듯 눈이 마주친 리아가 환하게 웃으며 손을

흔든다. 이젠 익숙한 상황이지만 처음엔 이런 것조차 적응
되지 않아 곤란했었다. 정말 별거 아닌 평범한 몸짓인데 말
이지.

그래도 여전히 의아하긴 하다.

대체 뭐가 좋다고 저렇게 손을 흔드는 거지?

그럼에도 그런 모습에 순식간에 제 표정이 풀렸다는 건
안다. 참으로 이상한 일이지.

"……."

이러고 있으면 가끔은 이런 것도 나쁘지 않다는 생각을
한다. 간혹 이런 생활이 지겨울 때면 피가 끓던 시절이 간
절히 그립기도 하지만 그래도 저 웃음만 마주하면 그렇게
끓던 피가 단번에 차갑게 식었다.

그건 참으로 이상한 느낌이었다.

그냥 한 몇 달간 날뛰다가 돌아오면 될 것을 이 미소를,
아니 저 목소리를 듣지 못한다는 게 마음에 걸려 가지 못한
다.

……내가 미친 건가.

"아빠!"

진짜 미친 건지, 아니면 죽을 때가 다된 건지 둘 중 하나
를 놓고 고민하고 있는데, 어느새 달려온 리아가 제 앞에
섰다.

한참 내려다봐야 하는 키와 작은 몸집. 만약 여기서 더 큰
다 해도 자신이 제 딸을 올려다볼 일은 영원히 없을 거다.

"자, 이거."

달려온 딸이 건넨 것은 복숭아색의 펜스테몬이었다. 정원에 있는 꽃을 꺾어 온 것인가 응시하니 리아가 환하게 웃는다.

"내가 주는 거야. 받아!"

이런 걸 건네는 의미를 모르겠다. 유모는 이런 행동이 자기가 본 걸 나에게도 보여 주고 싶어서 가져오는 거라 설명했지만 그렇다고 바로 이해가 되는 건 아니었다. 그냥 자기만 보고 말지, 왜 굳이 가져오는 거지?

카이텔은 잠시 그저 작은 꽃들이 붙은 펜스테몬을 내려다보았다. 머릿속으로는 별 쓸데없는 짓을 한다고 생각했지만 어느새 손은 움직여 그 꽃을 받는다.

제가 한 행동이지만 해 놓고도 바로 인상을 찌푸렸다.

"이걸 어따 쓰라고 주는 거지?"

시비 거는 듯한 목소리에 금세 리아가 입술을 내민다.

"예쁘니까 감상하라고 주는 거지."

그것도 모르냐는 듯 나무라는 표정이었지만 그걸 보고 기분이 나쁜 건 아니었다. 그저 이 의미 모를 행동에 의아하고 이상했을 뿐. 카이텔은 비웃었다.

"고작 감상 따윌 하려고 꽃을 꺾어 온 건가?"

뇌까린 말에 리아가 고개를 갸웃한다. 그 아무것도 모른다는 천진한 표정을 보니 자꾸만 괜히 건드려 보고 싶었다.

"에, 그러면 안 돼?"

진지하게 고민하는 걸 보니 웃음이 나온다. 아이와의 나날은 대부분이 이런 식이었다.

"뭐, 받아 두지."

꽃을 싫어하는 것은 아니지만 그렇게 좋아하지도 않았다. 그저 지나가는 무채색의 풍경처럼 별 관심 없는 것이라 항상 무시했는데 그런 꽃을 막상 이렇게 들고 있으려니 괜히 헛된 감상만 는다.

다른 때였다면 가차 없이 버렸겠지만 지금은 좀……. 그럴 기분은 아니었다.

이걸 어떻게 처리해야 하지?

보통 꺾은 꽃을 어떻게 하는지 몰라 잠시 침묵만 지키고 있는데, 갑자기 옆에서 불쑥 페르델이 고개를 내민다.

"공주님, 저는요?"

"페르델 거?"

기대감에 가득 차 페르델이 두 눈을 반짝였으나 따님은 어쩐지 곤란한 얼굴로 웅얼거렸다.

"없는데……."

그럼 그렇지.

은근히 기분 좋아지는 건 어쩔 수 없다.

"엑!"

페르델은 그럴 수 없다는 듯 울상을 지었지만 카이텔은 납득했다.

이런 놈이 아버지랑 같은 취급을 받을 수는 없는 거지, 암.

만약 그의 속마음을 알았다면 자기는 대부라며 너와 같은 존재라고 반박했겠지만 안타깝게도 페르델에겐 남의 생각을 읽는 재주는 없었다.

"너무해! 공주님은 매정해요!"

우는 척 페르델이 소리친다. 그 모습을 보니 마음이 안 좋은 건지 리아가 미안한 표정을 지었다. 옆에 앉은 황제의 시선이 날카로워지는 것도 모르고, 페르델이 징징댄다.

그때였다.

"아, 이거라도 가질래?"

갑자기 좋은 생각이라도 난 듯 리아가 바로 옆에 있던 화분을 들고 왔다. 그건 언젠가 시르비아가 주었던 식물이었다.

"……."

입을 쩍 벌리고 있는 파리지옥을 보며 페르델의 안색이 급격하게 변했다. 그는 바로 손을 흔들었다.

"아니, 전 괜찮……."

"사양하지 않아도 돼!"

억지로 품에 화분을 안기자 페르델이 우중충한 표정으로 고개를 떨군다. 그걸 보며 카이텔이 비웃자 리아가 고개를 돌렸다.

"아빠도 줄까?"

"싫다."

물론 카이텔은 즉시 거절했다.

칼 같은 거절에 아쉽다는 표정을 지으며 리아가 돌아간

다. 재미도 없어 보이는데 뭐가 그렇게 신나는지 연신 함박웃음이다.

반면 옆에선 잔뜩 먹구름이 끼어 있었다.

"공주님, 너무해……"

그러거나 말거나 다시 멀찌감치 자리 잡고 앉아서 제 딸이 하는 양을 지켜본다.

리아가 뭔가 특별한 걸 하는 건 아니었지만 그냥 보고만 있어도 눈을 끄는 곳이 있었다. 아기 때처럼 신기하지는 않았지만, 그래도 저렇게 움직이는 양을 보고 있으면 여전히 흥미롭다.

사실 스스로도 딸에게 무르다는 건 인식하고 있다.

딱히 제 자식이라서라기보다 너무 작고 금세 죽을 것 같은 게 이것저것 하는 모습이 신기해서 하나둘씩 봐주던 버릇이 아직도 남아 버린 모양새였다. 그래서 조금쯤은 건방져도, 조금쯤은 주제넘어도 자꾸 넘어가게 된다.

다른 사람이었다면 이미 목이 잘렸을 텐데.

그걸 호사가들은 '총애한다'고 표현했지만 카이텔 스스로는 그것과는 조금 다른 종류라 생각했다.

총애라, 과연 그런 말로 이런 감정을 모두 설명할 수 있을까?

사실 카이텔만큼 제 자식과 시간을 보내는 왕족은 없다. 귀족 중에서도 고작해야 비테르보가의 일례만 있을 뿐. 신분이 높을수록 적은 건 확실했다.

기실 귀족들에게 육아라는 건 모조리 아랫사람이 대신해 주는 소일거리다. 하물며 황족이라면 말할 것도 없는 사실.

후계를 키우는 건 물론 중요한 일이었지만 사사로운 모든 뒤치다꺼리는 모조리 유모에게 맡긴다. 자신이 자라 온 환경을 봐도 그랬지만 부모라는 건 그저 명분상의 존재일 뿐, 사실 없어도 별 불편함이 없는 존재였다. 진짜 아이를 키우는 건 유모가 대신하니까.

부모라고 칭하지만 그건 부모라기보다는 다른 그 무엇.

아이는 유모가 성인식을 치를 때까지 그 아이의 모든 걸 관리한다. 거기에 부모의 역할이란 그저 방향만 제시하는 걸로 끝. 그것 외엔 아무것도 손대지 않는다.

이게 바로 육아에 대한 특권계층의 관례.

"……잘 노는군."

허나 그 관례를 깨고 이것저것 건드린 것이 카이텔에겐 이미 너무 많았다.

단순히 신기해서였을까?

잘 모르겠다. 무슨 이유로 그랬는지는. 그러나 불분명한 상황 속에서도 분명한 사실은 이것 하나.

이젠 옆에 저 아이의 온기가 없으면 밤에 잠도 들지 못한다는 사실이었다.

"그러고 보니 말인데, 리아 공주님은 대체 언제 독립해?"

파리지옥을 옆에다 잘 챙겨 놓고 마저 보고를 하던 페르델이 불현듯 묻는다. 턱을 괸 채 카이텔은 왜 그런 걸 물어

보나는 듯 눈동자만 돌려 페르델을 응시했다. 페르델이 빙
그레 웃는다.

"아니, 그렇잖아? 평민들이라면 자식들에게 돈 벌어 오
라고 극성부릴 나이인데 아직도 같은 궁에 같은 침실이라
니. 너 좀 유난스럽다고 생각하지 않냐?"

"신경 꺼."

날카롭게 쳐 내자 페르델이 입을 삐죽인다. 딱 봐도 불만
가득한 얼굴이었건만 카이텔은 신경 쓰지 않았다. 사실 자
각은 하고 있다. 제가 태어날 때부터 다른 궁을 쓰고 있었
던 것처럼 제 아이에게도 그렇게 해 주어야 한다는 것을.

어린아이니까 외로울 거라 세르이라는 말하지만 사실 황
족에겐 그것이 당연한 일이었다.

외로움조차 모를 정도로 혼자인 게 당연한 곳.

그러나 어느 순간부터 제가 아는 세상을 알려 주는 게 꺼
려진다. 분명 전엔 이런 망설임 따위 없었던 것 같은데 말
이지.

"난 신경 꺼 주겠지만 네 대신들은 안 그럴 거다."

"……."

비웃듯 페르델이 고개를 돌린다. 뭘 그런 걸 가지고 그러
냐는 듯 페르델은 유유자적이었다.

"이미 그쪽에서도 시끄럽잖아. 안 그래?"

건드리는 것도 정도껏. 카이텔은 망설임 없이 페르델의
모가지를 낚아챘다.

"그래, 네 머릿속부터 시끄럽게 만들어 주지."

"으악, 용서! 용서!"

혀를 놀릴 땐 이럴 건 생각도 나지 않는 모양이지?

꼭 맞고 나야 입을 다무는 저 요망한 세 치 혀를 그대로 뽑아 버릴까 싶다. 하지만 그러면 곤란해지는 건 도리어 이쪽이라 혀를 한번 차고는 오늘도 혀는 놔두고 다른 곳만 패고 있었다.

그러고 있으려니 멀리서 놀던 딸이 또 눈웃음을 흩뿌린다. 내 따님.

굳이 지키고 싶었던 건 아니었다. 하지만 제 것이 남의 손에 부서지는 건 참을 수 없다. 내가 소유한, 내 거니까.

자신의 침실에서 재우기 시작한 건 순전히 그런 이유 때문이다. 황제에게 후계가 생기는 걸 두려워한 자들의 암살 시도 탓에 그걸 방지하기 위해 처음에 그리한 것.

그러나 한 침대에서 자기 시작한 건······. 글쎄, 잘 모르겠다.

그저 변덕이었나? 아니면 그냥?

처음 시작이 어떻건 지금은 옆에서 들려오는 작은 숨소리가 아니면 잠조차 제대로 들 수 없었다.

굳이 그러지 않아도 지킬 수 있다는 건 안다. 저한테 그런 능력이 없을까. 사실 제 딸은 모르겠지만 자신의 손에 죽지 않은 이상, 이런 생활은 이미 예견된 것이었다.

언제 제 목숨이 노려질지 모르는 살얼음판. 그중엔 자신에게 후계가 생겼다는 사실을 우려하는 자들도 있었고, 질투로 눈이 먼 여자들도 끼어 있었다. 거기에 그가 총애한다는 소문이 돌며 암살 시도는 한층 더 기승을 부린다.

그래 봤자 다 거기서 거기지만.

이곳이 황궁이고, 그가 황제인 이상 절대 그런 것들이 쉽사리 나댈 수는 없었다. 사실 기사단을 내준 것도 그런 이유고. 거기에 수호기사까지 붙여 놓지 않았던가. 심지어 그 수호기사는 아그리젠트에서 가장 강한 기사다.

하지만 그런 상황에서도 굳이 제 침실에서 딸을 내쫓지 않고 있다. 왜일까? 어째서?

"아빠!!"

또 다른 꽃을 들고 리아가 달려온다. 그 모습을 보며 카이텔은 잔잔한 깨달음에 나지막이 신음을 흘렸다.

"이거 봐, 이거."

천진하게 웃는 딸을 보고 있으려니 무심코 입술을 깨물게 된다. 아이가 외로울까 봐? 그래서 아직도 옆에 놔두는 거라고?

전부 다 웃기는 소리였다.

"내가 찾았어. 예쁘지?"

자신도 안다. 언젠가는 떼어 내야 한다. 이렇게 지낼 수 있는 것도 고작해야 앞으로 이 년 남짓. 그 이후엔 무슨 이유를 대도 보내 주어야 했다.

다른 궁으로 내보내면 제대로 얼굴이나 볼 수 있을까?

아이가 외로워한다는 것은 사실 핑계.

궁을 따로 내주어도 여전히 지금과 같을까? 아침에 잠든 얼굴을 보며 일어나고, 같이 밥을 먹고, 다시 잠들 때 얼굴을 마주하는 이 일상이 유지될 수 있을까?

잘 모르겠다.

애초에 그는 부모를 본 기억이 손에 꼽으니 떠오르는 모든 가정이 전부 다 회의적이다.

아직 준비가 되지 않은 건 자신이었다.

안 되는 걸 안다. 안 되는지 알면서도 붙잡고 있다.

욕심. 그래, 욕심이다.

"이거 방에다가 꽂아 놓을 거야. 그래도 되지?"

순진하게 물어 오는 딸의 얼굴을 보려니 갑자기 그런 생각이 불쑥 고개를 내민다. 그래, 언젠간 그만둬야 한다. 하지만 그와 동시에 다른 생각이 머릿속을 지배했다.

아니, 조금만 더.

"그래."

……그래, 이대로 조금만 더.

* * *

아버지에 대한 기억이라고 한다면 그가 죽던 날의 기억

밖에 남아 있지 않다.

그마저도 충격적이거나 슬펐냐고 묻는다면, 글쎄……

그것이 어떤 감정인지는 고민해 본 적도 없지만 그래도 슬픔이나 비탄 같은 감정은 아니었다. 뭔가 어떤 감정이 떠오르기엔 그에게 아버지라는 존재는 너무나 멀고 추상적이었다.

아버지—.

그 단어에 그 어떤 애정이나 다른 감정의 조각마저도 깃들지 않는다. 그저 나열될 뿐인 의미 없는 단어. 그건 어찌 보면 무척이나 서글픈 일이지만 카이텔에게 있어 당연한 일이기도 했다.

그에게 있어 부모라는 건 그저 존재했을 뿐 존재하지 아니 하니만 못한 존재들이었으니까.

"부모라……"

선대 이반 황제에게는 세 명의 정비가 있었다.

황자 시절 때 맞이한 첫 번째 부인과 그 이후에 맞이한 두 번째 황후는 아이를 낳지 못해 약을 복용하다 부작용으로 죽었다. 그리고 들어온 것이 이차르타의 공주, 그 에리카 황후. 그 황후가 이반 황제의 마지막 황후다.

그리고 그녀가 바로 카이텔의 어머니였다.

열여섯에 시집온 이차르타의 왕녀는 그때만 해도 마냥 소녀였다. 먼 나라였던 아그리젠트의 황제에게 한눈에 반한 것이 열다섯 살 때의 이야기.

당시 이반 황제의 나이가 스물아홉. 도합 열네 살이나 많은 남자에게 시집을 가겠다던 공주의 고집은 온 나라를 들썩케 했고, 결국 결혼 못하면 죽겠다는 자살 소동을 겪고 공주는 겨우 혼인에 성공했다. 그것도 무려 꿈에도 그리던 님의 정비 자리로.

그러나 꿈은 언제나 꿈이기에 달콤한 법.

국혼을 치른 지 채 일주일도 지나지 않아 다른 여자와 놀아나는 황제를 보고 공주는 큰 충격에 앓아눕는다. 만 리 타향에서 그런 그녀에게 신경을 써 주는 사람은 아무도 없었다.

"우웅."

잠이 오지 않는 밤에 두 눈을 뜬 채 하염없이 천장만 바라보고 있으려니 옆에서 뒤척이는 소리가 들린다. 카이텔은 시선을 내렸다. 시선을 돌리자 잠에 든 제 딸의 모습이 보인다.

저도 모르게 손을 뻗어 흐트러진 머리카락을 정리해 주었다. 그 손길이 제법 좋기라도 한 모양인지 잠든 딸이 빙그레 웃었다. 그 미소를 보고 같이 웃는다는 건 예전이라면 전혀 상상도 못하던 일. 마치 단비에 젖듯 어느새 젖어 든 일상이 이렇게 보니 너무나 낯설고 새롭다.

팔을 뻗어 제 품에 안아 등을 토닥이며 카이텔은 어미를 떠올렸다. 어머니라니. 그렇게 낯선 단어가 이 세상에 또 존재할까.

카이텔은 문득 웃었다. 부모라고 되뇌니 떠오르는 거라

곤 고작 굵은 커튼과 어두운 방, 그리고 기억도 나지 않는 목소리뿐이라니. 처량해서 웃음도 나오지 않는다.

"웃기는군."

그런 주제에 감히 건방지게 그런 말이라니.

다시금 불쾌한 기분이 솟구친다. 아버지조차 되지 못한 남자한테 좋은 아버지가 되라는 말이나 듣다니. 기가 차서 말도 나오지 않았다. 희미하게 불태울 증오마저 없지만 그렇다고 불필요한 참견을 기분 좋게 넘어가 줄 아량도 없다. 카이텔은 잔뜩 날이 선 서늘한 시선으로 어둠에 물든 허공을 노려보았다.

자신의 아버지.

아니, 이반 황제는 정말 무능력한 황제였다. 정말 그렇게 무능력할 수가 없을 정도로 황제로서는 안 어울리는 사람이었다. 스물두 살에 황제 위에 올라 그가 한 업적이라고는 오로지 후궁을 넓힌 것, 그것 하나밖에 없었다.

아니지. 하나 더 있구나.

역사상 즉위 이후 가장 이 나라를 개판으로 만들어 놓은 황제.

궁정은 황제의 비위를 맞추기 위한 간신들로 넘쳐났고, 국정은 오로지 권세 넘치는 귀족들의 뱃속을 채우기 위해 움직였다. 황제의 궁엔 미녀들의 웃음소리가 끊이질 않았으며, 심지어 세력 있는 귀족들마저 제 부인과 딸아이를 황제에게 바쳐 가며 더 많은 부와 권력을 바랐다. 황궁은 그야말로 개판이었고, 지금이야 성스러운 성도지만 이반 황제 때의 수도는 애욕과 오욕의 도가니였다.

역겨울 정도로 욕망이 들끓는 도시.

그게 그 시대의 수도 지르젠토의 모습이었다. 괜히 후궁이 마흔이 넘어가는 게 아니었고, 자식이 스물 몇이나 되는 게 아니었다. 아그리젠트를 제국으로 격상시킨 위대한 제왕 바이비즐이 보았다면 기함을 토하며 당장 무덤에서 칼을 들고 쫓아왔을 터였다.

바이비즐 황제는 진정 위대한 제왕이었다. 난세 속에서 아그리젠트를 제국으로 키운 제왕에게 그 정도 최소한의 경의는 그에게도 존재했다. 다만 후계 문제는 그 어떤 왕보다 형편없었지만.

"뭐, 여자 보는 눈도 형편없었다지만."

바이비즐 황제에겐 세 아들이 있었다. 각각의 어머니는 달랐지만 세 형제는 다른 나라에서도 신기해 할 정도로 유난히 사이가 좋고 우애가 깊었다. 그래서 그 누구도 그런 일이 생길 줄 짐작조차 하지 못했다.

황제가 원인불명의 병으로 돌연 숨을 거둔 날, 둘째 황자가 황태자를 독살하고 반역을 꾀한 것이다. 모두 순식간에 벌어진 일. 다들 경악했지만 발 빠르게 실권을 장악한 둘째 황자에게 맞설 수 있는 사람은 이미 아무도 없었다. 나중에 정신을 차렸을 때는 이미 막내 황자가 황태자 암살 사건에

연루되어 유배당한 지 오래인 상황. 이미 다 끝난 후였다.

둘째 황자의 돌연한 반역은 이웃한 나라들마저 충격으로 몰아넣었으나 진짜 충격은 그 이후부터였다.

실권을 잡은 카를 황제는 바로 폭정을 시작한다. 육 개월. 고작 육 개월 치세에 죽어 나간 사람만 이만 명에 육박했다. 그쯤 되니 흉흉해진 인심에 세간에서는 바이비즐 황제마저 카를 황자에게 암살당한 것이 아니냐는 소문이 떠돌았다.

"물론 그것도 사실이었지만."

그리고 대망의 그날.

막내 황자 이반이 황태자 독살의 범인으로 지목받아 사형을 당하는 바로 그날이었다. 카를 황제의 폭정을 못 이긴 귀족들이 일거에 반격했고, 귀족들의 지지를 얻어 이반 황자가 카를 황제의 목을 베면서 반역에 성공했다. 그리고 아그리젠트의 20대 황제로 이반 황제가 등극했다.

모두가 환희했지만 단 한 사람은 기뻐하지 않았다고 한다.

─그리고 그게 그의 아버지, 황제로 즉위하는 당사자인 이반 황제였다.

유난히 사이가 좋았던 큰형이 둘째 형에 의해 죽고, 자신마저 살해당할 위기에서 극적으로 살아남아 자기 손으로 둘째 형을 죽인 남자의 기분을 모르는 건 아니다. 적어도 유쾌하진 않았겠지. 하지만 그렇다고 그 이후의 모든 행동이 용납되는 건 아니었다.

꼭두각시 제왕.

누군가에 의해 권위를 빼앗긴 게 아니다. 스스로가 완전히 정사政事에서 손을 놓아 버렸다. 그것은 아버지가 제 스스로 시인한 이야기.

권력을 잡은 채로 아무것도 하지 않는 왕이라는 건 생각 외로 쓰레기였다. 권력을 잡지 못한 왕이 귀족들에 의해 놀아나는 것보다 더 역겨웠다.

의자에 앉아 제 욕망에 휘둘려 사탕발림이나 해 대는 대신들을 비웃으면서도 내버려 둔다. 마치 던져 둔 단 음식에 개미 떼가 꼬이듯, 그렇게 모든 것이 뒤엉켰다.

역했다. 그게 역겹지 않다면 그 무엇이 역겨우리.

커다란 개미굴. 그가 커 오며 봐 본 아그리겐톰 황궁 풍경은 그랬다. 최저의 벌레들이 들끓는 연옥의 풍경. 정절과 정조를 잃은 인간들이 서로 얽혀 들고, 지긋지긋한 애정 놀음이 대낮부터 펼쳐진다. 그게 아니면 신물 나는 인간 체스 놀이뿐이었다. 어떻게든 서로를 이용하고자 눈치를 보는 아비규환.

좋았을 리가 없다. 좋을 리가 없다.

하물며 이런 풍경을 만들어 놓은 아버지에게 존경이라는 게 생길 리가 없었다. 열세 살이 되도록 얼굴 한 번 제대로 마주쳐 본 적 없는 인간이었다.

의지만 있으면 그 구렁텅이에서 얼마든지 올라올 수 있는데, 제 아버지는 끝끝내 그러지 않았다. 그렇게 무능한 남자에게 존경심이라는 게 남아 있을 리가 없다.

동정이라면 또 모르지.

어째서 어머니가 그 남자를 그렇게 목매어 사랑해 마지 않았는가. 그 사랑이 의아할 정도로 아버지란 인간은 형편 없는 사내였다.

괜히 손을 뻗는다.

누워서 마주한 딸아이는 여전히 깊은 잠에 취해 있었다.

손끝에 보드라운 뺨이 닿는다. 누군가가 건드린다는 자각은 있는지 아이가 인상을 찌푸린다. 그러나 그 모습도 나쁘지 않았다.

황제가 된 이유에 거창한 것은 없었다.

하물며 원래 이 자리가 자신의 것이라 생각해 본 적도 없다. 이 자리만을 원하던 누군가가 듣는다면 기함을 할 이야기겠지만 카이텔에게 있어서 황좌란, 지금 이렇게 앉아 있긴 하지만 마음이 동한다면 언제든 박차고 나가 버릴 수 있는 자리였다. 그만큼 자신에게 황제라는 자리는 별다른 가치를 지니지 못했다. 단지 이러고 있는 편이 편하기 때문에 차지하고 있는 것뿐이었다.

이 제국도, 수백만 명의 백성들도 전부 관심 밖의 이야기.

그럼에도 국정에 소홀히 하지 않는 건 적어도 아버지처럼 쓰레기 같은 황제는 되지 말아야겠다는 생각을 했기 때문이었다. 무능했던 아버지를 경멸했기 때문에 더더욱 그런 인간처럼 될 순 없었다.

사실 총희들 소생의 황자들이 이미 열댓 명이나 존재하는 와중에 태어난 정비의 아들이라는 건 다른 이들에겐 대놓고 죽여 달라고 비는 희생양이나 다름이 없었다.

황후가 낳은 직계 황손이라는 것 외에도 물려받기 힘들다는 적은발을 타고났으니 표적이 되는 건 너무나도 당연한 수순. 그렇다고 제 아비나 어미가 저에게 신경을 쓴 것도 아니었으니 당연히 죽을 위기는 부지기수였다.

물론 그냥 죽어 줄 생각은 없었다. 살 수 있는 방법을 찾아보고 그럼에도 죽을 수밖에 없다면 그때는 죽으려고 했었다.

이렇게 되니 어릴 적 기억이 좋지 못한 건 어찌 보면 당연하다. 사실 드란스테를 만난 건 거의 기적에 가까운 일이었다. 그 만남이 없었다면 열세 살, 활활 타오르는 제 궁에서 같이 전소되는 것으로 제 인생은 끝이었겠지.

"⋯⋯시녀장."

기억나는 거라곤 장작처럼 마른 손밖에 없는 딱딱한 여인이건만 그래도 그 이름을 떠올리면 무언가 감정이 미진하게 들끓는다. 지금 시녀장에게도 나름대로 관대한 이유가 그 여인 때문이라는 건 알고 있다.

태어나 제 궁에서 키워지는 동안 거들떠도 보지 않던 부모 대신 저를 키워 준 여인. 유모가 돌보고 시녀장이 키웠다. 차라리 애정이라고 부를 수 있는 게 그에게 남아 있다면 그건 아마 그 둘에 대한 감정일 거라 생각했다. 둘 다 죽었지만.

외롭다는 생각은 들지 않았다.

복수는 제대로 했으니까. 원래 혼자였기 때문에 다시 혼자가 되었다고 생각했을 뿐이었다. 조금쯤은 아쉬워했으려나?

잘 모르겠다.

자신을 죽이려고 찾아온 자식을 무슨 집 나간 아들 맞이하듯 하며 신이 나 있던 아버지는 자식에게 부모를 죽이는 불효를 저지르게 할 수 없다며 스스로 죽었다.

후엔 그냥 제 손으로 죽이는 게 나았을지도 모른다고 후회했지만 다른 형제를 불태운 건 확실히 제가 벌인 짓이었다. 모두 처넣고 불로 지피는 데에 일말의 죄책감 같은 것도 없었다.

그다음에 이어진 것은 당연히 기나긴 피의 숙청. 그 일도 그에게는 그저 파리 죽이는 정도의 소일거리밖에 되지 않았다.

"아빠?"

잘만 자던 리아가 갑자기 몸을 뒤척인다. 아직 졸린 듯 다 뜨지도 못한 눈으로 리아가 옹얼거렸다. 몰랐는데, 정신을 차리니 어느새 커튼 사이로 아침 햇살이 따사롭게 내리쬐고 있었다.

"일어났나?"

"우웅."

대답 대신 눈을 비비며 리아가 다시 베개에 얼굴을 처박는다. 아침에 이렇게 일어나기 힘들어 하면서 매번 일어나려고 용을 쓰는 모습이 제법 가상했다.

"졸려."

제가 일어날 시간이 아닌데 잠 깨 놓고 졸리단다.

웃겼지만 카이텔은 무어라 나무라지 않았다.

"더 자."

속삭이는 나지막한 목소리가 안심이라도 된 모양이다. 곧 평온한 표정으로 잠에 빠진 딸아이를 지켜보며 카이텔은 작게 웃었다. 작은 몸짓마저 이젠 생생할 정도로 익숙하다.

이렇게 자다가 이제 한참 뒤에 깨어날 아이를 지켜보려니 카이텔은 괜히 자는 아이를 건드려 보고 싶어졌다. 손을 들어 뺨을 톡톡 치니 귀찮은지 아이가 인상을 쓴다. 싫어하는 게 보이는데, 그래도 멈출 수 없었다.

"아."

너무 건드린 것인가.

갑자기 아이가 눈을 뜬다. 카이텔은 순간 마주한 붉은 눈동자에 저도 모르게 흠칫했다.

아직 잠이 덜 깨 있던 아까와 달리 지금은 붉은 눈동자가 선명하다. 금방이라도 툴툴댈 줄 알았는데, 시선이 마주치자 리아가 환하게 웃는다.

"좋은 아침!"

늘 듣는 아침 인사에 저도 모르게 슬그머니 표정이 풀렸다.

그래, 이젠 익숙한 아침이다.

"……좋은 아침."

*　　*　　*

좋은 아빠가 아니라는 자각은 있다.

이런 말을 하면 아무도 믿지 않겠지만 스스로 좋은 아빠는 아니라는 건 제 자신이 제일 잘 알고 있었다.

"나 이거 먹을래!"

점심시간. 제 밥을 먹다 말고 갑자기 리아가 손을 뻗는다.

이렇게 식사를 하다 보면 흔히 있는 일이었다. 제 것이 아닌데도 먹고 싶다며 따님이 탐을 내곤 한다. 이게 더 맛있어 보이는 건지 아니면 그냥 더 먹고 싶은 욕심인지 모르겠지만 이럴 때면 카이텔은 항상 그냥 넘어가지 않았다.

"그러다 돼지 된다."

"씨이!"

리아가 바로 짜증을 낸다.

아무리 어린아이라도 저한테 안 좋은 소리는 기가 막히게 잘 알아들었다. 그건 아기일 때도 마찬가지였다. 말을 알아듣는 것도 아닐 텐데 모르는 소리이면서도 기가 막히게 말귀를 잘 알아들었다. 그래서인지 몰라도 괜히 더 안 좋은 말을 내뱉고 싶었다.

세르이라는 항상 아이의 정신 건강에 좋지 않다고 당부하지만 그래도 막상 이렇게 얼굴을 마주 대고 있으면 그런 경고 따윈 금세 잊는다. 생각날 리가 없지.

"뭐, 그래."

"뭘?"

이렇게 하나하나 일일이 반응을 하는 게 더 괴롭히고 싶게 만든다는 걸 따님은 알까? 아마도 모를 거라고 카이텔은 생각했다.

"하긴 이미 돼지였지."

확 인상을 찌푸린 리아가 잔뜩 골을 낸다. 카이텔은 나지막이 소리 내어 웃었다. 대놓고 낄낄거리며 웃자 얄미운 건지 리아가 양 뺨을 부풀린다.

그러고 있는 딸을 보는 건 뭐랄까 좀 신기한 기분이었다.

더 괴롭히고 싶다.

"안 먹어!"

"먹어. 먹어도 돼."

인심 쓰듯 건네주는 접시에 아이가 대놓고 제 아비를 노려본다.

"됐거든."

그러면서 씩씩대는 폼이 어쩐지 범상치가 않다.

진짜 삐지면 좀 곤란한데.

"나 밥 먹을 거야, 말 시키지 마."

자기가 건드려 놓은 주제에 막상 딸이 이렇게 나오니 조금 미안한 감이 있다.

맨날 돼지 된다고 말하곤 하지만 사실 리아는 안쓰러울 정도로 마른 체구였다. 부러 후식을 그렇게 단 것들로 준비시키는 게 아니다. 그나마 단 걸 좀 먹어서 저 정도이지 그것도 아니었으면 어디 난민처럼 **빼빼** 말랐을 거라고 카이텔은 늘 생각했다.

골이 난 건지 뚱한 표정으로 리아가 진짜로 밥만 먹는다. 좀 더 안달할 줄 알았는데, 그 모습을 지켜보고 있으려니 살짝 기분이 미묘했다. 흐음.

너무 건드린 건가?

하지만 별로 오랜 시간이 지나지도 않아 다시 리아가 고개를 돌렸다.

"나 진짜로 먹어도 돼?"

……제 딸의 성미가 온순하다는 건 안다.

이럴 때면 정말 확실하게 깨닫곤 했다.

"먹어."

허락이 바로 떨어지자 리아가 환하게 웃는다. 좋다고 제 앞으로 그릇을 끌고 가는 모습을 보니 카이텔은 또 갑자기 심술이 났다.

"이미 돼지잖아."

"안 먹어!"

아이의 표정이 단번에 굳는다.

밥 먹다 말고 밥맛 떨어진다는 표정으로 저를 노려보는 딸은 꽤나 재미있었다. 갑자기 웃기 시작하는 카이텔을 보며 리아가 자리를 옮긴다. 어울리고 싶지 않다는 명백한 표시였으나 카이텔은 서운하거나 그러지 않았다.

울리고, 괴롭히고, 자꾸 건드리고 싶다.

아버지가 딸한테 할 짓은 아니었지만 그게 리아를 보면 느끼는 카이텔의 가장 솔직한 감상이었다. 못살게 굴고, 성가시게 만들고, 자꾸 귀찮게 하고 싶다.

"아빠 못생겼거든!"

가끔 이렇게 반격이 돌아오긴 하지만 사실 이런 것도 나쁘진 않았다. 저를 상대로 감히 누가 이런 망발을 내뱉는단 말인가. 물론 그대로 당하는 게 기분이 좋지만은 않았다.

설마 저게 진심으로 하는 말은 아니겠지.

카이텔이 입을 다무니 리아가 쪼르르 유모에게 안긴다.

"세르이라, 나 후식!"

한 대 맞을까 봐 부리나케 내빼는 사람처럼 보여 카이텔은 제 딸을 보면서도 이게 얄밉다는 감정이라는 걸 깨달았다. 물론 페르델도 얄밉지만 둘의 가장 큰 차이점이라면 페르델은 패고 싶고, 리아는 골탕 먹이고 싶다. 맞다. 그거다.

……제 딸을 상대로 뭐하는 짓인지.

유치하다는 건 본인도 알고 있다. 그러나 의외로 쉽게 그만둘 수 없을 정도로 중독성이 있었다.

사실 저와 있는 것보다 제 유모와 있을 때 딸이 더 평온

해 보인다는 건 알고 있다. 마치 제 어미처럼 유모를 따르는 모습을 볼 때면 그도 옛날 유모를 저리 따랐었나 고민하곤 한다. 저 정도는 아니었던 것 같은데. 주변의 경우를 살펴봤을 때에도 리아의 경우엔 좀 심각한 수준이었다.

어째서인지는 굳이 묻지 않아도 금세 알 수 있다. 확실히 저런 어미가 있다면 자식들이 하나같이 어머니만 애달게 찾지 않을까 할 정도로 세르이라는 훌륭한 어머니였다.

"공주님, 밥은 다 드시고 후식을 찾으셔야죠."

세르이라의 꾸짖음에 리아가 입술을 모은다.

"나 밥 다 먹었는데."

"그럼 이렇게 남은 건 뭘까요?"

남겼다기보다 안 먹었다는 게 옳은 것 같은 채소들이 그릇에 남아 있다. 싫어한다고 생각하진 않았는데, 채소는 영 끌리지 않는 모양이었다.

제 딸이 편식을 한다는 새로운 사실을 알았다. 그러고 보니 요새 피망이 가득한 요리만 나오더라. 다 이유가 있었군.

"이건 남은 게 아닌데."

리아가 애써 반박을 해 보지만 세르이라에겐 통하지 않았다.

"다 드셔야 돼요."

엄하게 나무라는 목소리에 리아가 얼굴을 찌푸린다. 저렇게 싫어하는데 안 먹여도 되지 않을까 생각했지만 도중에 끼어들진 않았다. 그저 관찰했다.

얼굴에 잔뜩 싫은 기색이 역력한 데도 리아는 엄하게 나무라는 목소리를 거부하진 않았다. 꾸역꾸역 제가 남긴 음식을 먹는다.

이런 걸 보면 유모 하나는 잘 들였군.

확실히 세르이라는 가끔 하는 헛소리를 제외하면 아이를 키우는 데엔 소질이 있는 여인이었다. 무엇보다 제 따님을 저리 소중히 여겨 주는 유모를 또 찾는 건 어렵겠지.

아기일 적부터 아이가 순하기도 순했지만 이렇게 온순하게 자라난 건 확실히 유모의 영향이 없다고는 말할 수 없다. 그리고 그걸 생각하면 가끔씩은— 기분이 살짝 저조해진다.

그래도 부모는 자신인데 말이지. 우리 따님은, 유모를 내가 정해 줬다는 건 알긴 알까?

아마도 모를 거라 카이텔은 생각했다.

"그럼 난 이만 가 보지."

자리에서 일어서니 꾸역꾸역 잔반 처리를 하던 리아가 고개를 든다.

"일하러 가?"

"그래."

회의는 없지만 처리해야 할 일이 서너 개 넘게 있었다.

카이텔의 대꾸에 리아가 갑자기 앉아 있던 의자를 밟고 일어난다. 그러더니 대뜸 자신에게 가까이 오라는 손짓을 했다.

이게 대체 뭐하는 짓이지?

그러나 속는 셈 치고 한번 가까이 가 준다. 제 아비를 부르더니 리아가 빙그레 웃으며 옷깃을 당겼다. 그 바람에 고개를 숙이자 뺨에 무언가가 와 닿는다.

쪽!

"돈 많이 벌어 와!"

발랄한 목소리에 순간 멈칫했다.

아이의 애교엔 이미 익숙해질 대로 익숙해졌다고 생각했는데, 그래도 가끔 이런 때가 온다. 도무지 어찌 반응해야 할지 모르겠는 때가.

보통은 대체 뭐하는 짓이냐는 듯 차갑게 대해 버리곤 하지만 사실은 이럴 때 어떻게 굴어야 하는지 몰라 하는 행동이다.

그저 빤히 쳐다보니 아이가 다시 빙그레 웃는다.

여인의 교태 섞인 웃음만 마주하다 보니 이런 미소가 낯설다. 이렇게 아무 사심 없이 웃을 수 있는 건 대체 어찌해야 가능한 걸까.

"……누가 시킨 거지?"

어쩐지 평소와는 다른 기색에 물어본 것인데, 아이가 어찌 알았냐는 듯 두 눈을 동그랗게 뜬다.

"페르델!"

이 자식이.

제 아비의 표정이 바로 구겨지자 눈치를 보며 리아가 덧

붙인다.

"요새 폐하께서 기분이 너무 저조하신가 봐요, 가서 애교 좀 부려 주세요, 공주님이라기에 한 건데, 싫어?"

잔망스럽게 페르델이 말하는 양을 따라 하다 슬그머니 웃는다. 아무 잘못도 없이 눈치를 보는 제 딸을 보니, 당장에라도 재상 관저에 찾아가 페르델의 멱살이라도 잡으려던 마음이 눈 녹듯 사라졌다.

그래, 아이의 잘못은 아니지. 이건 리아가 눈치를 볼 일이 아니었다. 카이텔이 고개를 가로저었다.

"아니."

애비의 부정에 리아가 금세 함박웃음을 짓는다.

"에헤헤, 그치?"

뭐가 그리도 좋은 건지, 그 웃는 얼굴에 자신의 마음이 풀리는 것도 괜히 심술이 날 지경이다. 반면 이렇게 마주하고 웃는 얼굴만 보고 있고 싶다는 생각도 살짝 든다.

"이따 봐요, 아빠."

그래, 한번 봐준다.

* * *

아그리젠트의 모든 행정은 재상 페르델이 처리한다.

카이텔이 오랜 기간 동안 원정을 나가도 전혀 문제가 없는 건 그 때문이었다. 황제로서 국정에 관여하는 바가 없는 것은 아니나 그래도 역시 모든 국가의 대소사는 페르델의 지시 아래 체계적으로 이루어진다. 일 처리가 워낙 깔끔하고 탁월한 덕에 페르델이 손대고 있는 모든 정책엔 별다른 잡음이 없었다.

그 탓인지 워낙 강한 재상의 권한에 종종 다른 궁정 세력들이 반역을 우려하는 일이 있다. 하지만 카이텔은 그에 관해서는 별다른 걱정을 하지 않았다. 일단 페르델은 더럽게 검을 못 다뤘고, 더욱이 황제가 될 생각 같은 것도 없었다.

무엇보다도 페르델은 누군가의 위에 군림하는 건 좋아했지만 대놓고 앞으로 나서야 하는 일은 싫어했다. 그런 인간이 미치지 않고서야 만인의 눈이 집중되는 황제를 원할까. 페르델은 지금처럼 멀찌감치 뒤에 떨어져 지시나 하며 즐기는 걸 더 좋아했다.

"질라르가 일 그만둔대! 다 너 때문이야!"

점심 댓바람부터 페르델이 눈물을 징징 짜며 등장한다. 훌쩍이며 들어오는 모습을 보며 카이텔은 한숨을 내쉬었다.

아, 저게 이 나라의 재상이라니.

일할 때의 모습은 제법 재상답다만 이렇게 풀어진 모습은 진정 같은 인물인지 의심스러울 정도였다. 무엇보다 패주고 싶을 정도로 짜증났다. 물론 항상 패고 있지만.

"갑자기 나타나서 뭔 개소리야?"

목덜미를 잡아채서 집무실 밖으로 던져 버리고 싶은 걸 겨우 꾹꾹 참으며 카이텔은 고개를 들었다.

오늘 이 인간을 죽인다면 내일부터 과부가 될 사촌 동생을 생각해 한 번쯤은 참아 주고 싶었건만 눈물을 찍어 내며 구슬픈 울음소리를 흉내 내는 페르델은 진정 참아 주기 힘든 존재임이 틀림없었다.

"질라르! 북대륙 쪽 외교 맡아서 쭉 일하던 내 1등 서기관 말이야!"

그래서 어쩌라고.

그가 누구인진 자신이 알 바가 아니다.

카이텔의 얼굴이 짜증스럽게 구겨지는 것도 모르고 페르델은 계속 징징거렸다.

"네가 너무 일을 거지같이 많이 시켜서 그냥 돌아가겠대. 어떡할 거야! 어떡할 거냐고!"

".....뒤질래?"

고저 없이 간단하게 내뱉은 질문에 페르델이 냉큼 입을 다문다. 그래도 분위기를 파악하는 머리는 아직 남아 있던 모양이다. 어차피 이 침묵이 얼마 가지 않는다는 걸 잘 알고 있지만 그래도 이렇게 잠시라도 페르델이 입을 닥치고 있으면 그나마 없던 인내심이 조금이라도 생겨났다.

카이텔은 잠시 숨을 골랐다.

"내가 일 시켰냐? 네가 시켜 놓고 웬 개소리야."

"결국 모든 대신은 폐하를 위해 일하니까!"

카이텔은 망설임 없이 검을 집어 들었다.

이놈은 답이 없다. 주먹이구나.

"그래서 죽고 싶다고?"

"아니."

죽고 싶다고 말했다면 당장 죽여 줄 용의가 있었는데 안타깝게도 페르넬이 날름 뒤로 빠져 버린다. 카이텔은 진심으로 아쉬워했다. 친절하게 원하는 방법으로 죽여 줄 수도 있는데 말이지.

카이텔이 제가 보던 서류를 덮었다.

"무슨 일이지?"

제 집무실에 오는 사람은 별로 없다.

고작해야 따님, 보고를 하러 오는 페르넬, 그리고 저를 보러 오는 세스쿨로 백작, 이따금 다른 대신, 겨우 그 정도.

사실 언제 수가 틀려서 날뛸지 모르는 황제한테 잘못 잡혀 죽고 싶지 않다면 웬만한 귀족들은 이곳에 얼씬도 하지 않았다. 그런 집무실에 시도 때도 없이 들락날락하는 페르넬은 어찌 보면 특이종이었지만 어쩐지 지금은 그냥 온 모양새가 아니었다.

그렇다고 보고를 하러 온 것도 아니고.

"아, 사실 질라르 때문에 온 건 아니고."

역시나.

제 예감이 틀리지 않다는 사실에 만족하며 카이텔은 자리에서 일어섰다. 집사장이 다 처리한 서류를 정리하며, 제 할 일을 도와준다. 페르델은 책상에 기댄 채로 말을 이었다.

"이따 회의 열 건데, 참석하라고 왔어."

"웬 회의?"

들어 본 적 없는 일정에 카이텔이 제 집사장을 돌아본다. 집사장도 의아한 표정이었다. 중간에 페르델이 끼어들며 이 상황에 대해 부가 설명을 해 준다.

"긴급 소집이야."

자주 없는 일이었다. 당연히 카이텔의 표정이 굳었다.

"뭣 때문이지?"

이유를 추궁하는 낮은 목소리에 페르델이 식은땀을 흘린 다. 억지로 웃는 게 뻔히 보이는 그 낯짝을 보며 카이텔은 그가 뭐라고 지껄이는지 찬찬히 들어줄 결심을 했다.

기세가 제법 살벌하다는 걸 안 건지 페르델이 당부를 한 다.

"음, 그러니까 절대 화내면 안 돼?"

"……"

그러니까 저 말은 내가 화낼 일이다, 이거란 말인가.

기분이 내려앉는다. 눈치를 보며 페르델이 잠시 한숨을 내쉬었다.

"셀티눈. 그러니까 옛 수사의 수도에서 작은 폭동이 일어 났어. 지금 그 영주가 와서 황실에서 기사단을 보내 제압해 줄 것을 요청하고 있는데……."

"있는데?"

페르델은 작은 폭동이라 말했지만 이미 영주가 황실 기사단을 요구한 순간부터 그건 작은 폭동이 아니다. 날카롭게 캐묻는 목소리에 페르델이 슬그머니 고개를 돌린다.

"그게 그러니까……."

아직 인내심이 바닥나지 않았다.

그것도 곧 바닥날 것 같지만 아직은 아니었다. 꾸역꾸역 참으며 페르델의 다음 말을 기다리고 있으려니 그가 눈치를 살핀다. 그 모습을 보니 기분이 더 가라앉는다.

마침내 페르델이 두둔하는 걸 포기했다.

"그 영주가 기사들을 버리고 왔어."

"……."

카이텔이 말이 없자 페르델이 조심스럽게 말을 잇는다. 그러면서도 이미 반쯤은 포기한 표정이었다.

"스무 명 남짓 정도 숫자인데, 폭동 위험 지역엔 다 가 있는 거잖아? 거기도 가 있었는데, 봄새벽기사단으로 구성된 기사들이거든. ……근데 잡혀 있대."

잡혀 있다는 것도 이해가 가지 않는데, 결정타는 그다음이었다.

"이미 열 명은 죽었다고 해."

카이텔은 말없이 검을 꺼내 들었다. 오히려 이 고요한 반응이 더 불안한지 페르델이 애써 먹히지도 않을 변호를 한다.

"그쪽에도 실력자가 숨어 있는 모양이야! 거기에 세력도 좀 있는 거 같고, 그러니까⋯⋯."

카이텔은 별다른 말을 하지 않았다. 그저 멋대로 지껄이는 페르델을 서늘하게 노려보며 물었을 뿐.

"그 새끼 지금 어디 있어?"

대답하지 않으면 지금 너도 여기서 죽이겠다는 의지가 전해진 건지 페르델이 이마를 짚으며 한숨을 내쉰다. 변호는 해 주겠지만 같이 죽을 생각은 없는 모양이었다.

"⋯⋯관저."

카이텔은 망설임 없이 집무실을 나섰다.

뒤에서 아차 하는 페르델의 목소리가 얼핏 들렸다.

"으아, 망했다!"

카이텔은 거칠 것 없이 바로 관저로 향했다. 저를 따라오는 수행원들이 갑자기 이게 무슨 일인가 당황하여 쫓는다. 그러거나 말거나 카이텔은 쓰레기 같은 영주가 머물 만한 곳을 찾아 움직였다. 황실에 요청하러 왔다 했으니 대기하고 있을 곳은 뻔했다.

"어디 있지?"

시종들이 너도 나도 고개를 숙이며 자리를 비킨다.

"저쪽입니다."

수행원들이 길을 안내한다. 무슨 일인지는 모르는 눈치였으나 잘못 안내했다가는 제 목이 잘릴 일이라는 건 아는 모양이었다. 그 영주를 찾는 건 정말 어렵지 않았다.

"폐하?"

"너로군."

보자마자 누구인지 알 것 같았다.

갑작스런 황제의 등장에 그 영주는 당황한 기색이 역력했다. 마시던 차를 내려놓고 바로 고개를 숙인다. 영주는 평화로이 티타임을 즐기고 있다가 느닷없이 날벼락을 맞은 표정이었다.

"폐하를 뵙습니다. 에반젤리움의 광명이⋯⋯."

"저를 지킬 기사들을 버리고 혼자 도망쳐 왔다라?"

인사를 받을 기분이 아니다. 감히 영주 된 몸으로 기사들을 버리고 혼자 도망쳐 온 주제에 무슨 낯짝으로 인사를 한단 말인가. 카이텔은 조용히 분노했다. 갑작스런 황제의 분노에 영주가 두 눈을 동그랗게 뜬다.

"예, 예?"

말귀를 못 알아먹는 멍청한 영주에게 카이텔은 짜증스러움을 느꼈다. 귀는 제대로 있는 건가. 장식물이 아니라면 방금 들은 말의 진의를 파악하지 못할 리가 없을 터.

만약 그 말의 진의도 제대로 파악하지 못하는 멍청이라면 애초에 이런 놈이 자신의 밑에 있었다는 것 자체가 수치다.

다행히 잠깐의 시간이 지나자 그제야 상황 파악이 된 모양이었다. 영주가 새파랗게 질린 얼굴로 무릎을 꿇는다. 늘 봐 오던 풍경이 카이텔의 눈앞에 펼쳐졌다.

"폐, 폐하, 그것이 아니오라⋯⋯."

그것이 아니면 무엇이란 말인가. 생각 같아선 되는 대로 지껄이는 저 세 치 혀를 잘라 버리고 싶었다. 그러다 그래, 어차피 파리 같은 목숨, 마지막으로 지껄이는 말이라도 들어주자는 생각이 들었다.

이건 흔히 말하는 자비 같은 게 아니다.

"어디 변명 한번 해 보시지?"

비틀린 미소에 영주가 몸을 떤다. 그 모양새가 불쌍할 정도였으나 카이텔은 동정조차 가지 않았다.

"그, 그것이 말이옵니다. 폭도들의 기세가 워낙에 흉흉한지라 제가 어찌할 수 있는 일이⋯⋯."

웬만하면 들어주려 했거늘, 이건 안 되겠다.

카이텔은 단번에 웃음을 터뜨렸다. 광기에 가득 찬 웃음소리가 방 안에 가득 찬다. 웃고는 있었지만 기분은 저 바닥으로 치닫는다.

이 쓰레기가 방금 뭐라고 말한 거지? 기가 차서 말이 안 나오는군. 그러니까 뭐라고?

황제가 대놓고 웃자 변명을 늘어놓던 영주가 얼떨떨한 표정으로 입을 다문다. 카이텔은 표정을 굳히고 그 영주를 내려다보았다.

"백성들이 고작 낫과 도끼를 들고 달려든다고 완전 무장한 기사를 이길 수 있을 거라 생각하는 건가?"

도대체 이런 쓰레기는 또 어디서 튀어나온 거지?

아직 조사를 하지 않아 제대로 된 경위는 모른다지만 안 봐도 이것만큼은 뻔했다. 분명 초기에 대응을 개같이 했겠지. 몸은 삐삐 말랐지만 두 눈에 욕심만은 그득그득 붙어 있는 영주가 그의 눈에 혐오스럽게 비춰진다.

"한 번 해볼래? 낫과 도끼 들고, 내 기사단과 시합. 어때?"

백성들도 할 수 있었으니 너도 할 수 있노라고 상냥한 목소리로 권유했지만 그 말에 영주는 그저 벌레처럼 덜덜 떨기만 했다.

"송구합니다. 부, 부디 선처를!"

"그게 아니면 나랑 할까?"

봐줄 생각은 없다.

카이텔은 당장 제 뒤를 돌아보았다.

"여봐라, 아무나 도끼나 낫 좀 가져와 봐라."

황궁에 도끼나 낫이 없을 리가 없다. 언제 미리 준비라도 해 둔 건지 기다렸다는 듯 도끼와 낫이 앞에 대령되었다. 카이텔은 바로 영주 앞에 그것들을 던져 줬다.

"자, 잡아."

자기 앞에 던져진 도끼와 낫을 보며 아까와는 비교도 되지 않을 정도로 덜덜 떤다. 그 모습을 지켜보면서도 카이텔은 일말의 동정심도 생기지 않았다.

"덤벼 봐."

"폐, 폐하."

덤벼 보라는 말은 거짓이 아니었다. 진짜로 덤벼 보라는 것이었는데, 기본적인 귀족의 소양으로 검을 배웠을 게 분명한 인간이 검을 든 상대를 앞에 두고 제대로 무장조차 하지 않는다.

한심스러웠다.

제대로 잡지도 못하는 단번에 도끼를 쳐 내고 카이텔은 바로 무릎 꿇은 남자를 밀쳤다. 죽일 생각은 없다. 하지만 이대로 그냥 보내 줄 생각도 없었다.

"분명 쓰레기 같은 새끼들은 매년 매달 처리하고 있다고 생각했는데, 대체 어디에서 자꾸 이런 쓰레기들이 튀어나오는 걸까."

재활용도 안 되는 쓰레기들은 알아서 잘 걸러 내 큰일이 터지기 전에 소각해 버렸다고 생각했는데, 쓰레기는 정말 쓰레기인 건지 버려도 버려도 계속 나온다.

"신기하지 않나?"

차라리 기사들을 대놓고 버리고 올 수밖에 없는 상황을 역설하며 목청이라도 높였다면 '그래, 너 이 새끼 용기가 가상하구나'라며 봐줄 생각도 약 일 퍼센트는 있었는데, 이렇게 숨죽이고 벌벌 떠는 모습만 지켜보려니 정말 경멸스럽다.

감히 죄 없는 짐의 기사들을 죽음으로 몰아넣은 주제에 자기는 편하게 팔다리 뻗고 잠잘 수 있다고 생각한 건가.

그의 힘에 밀쳐져 드러누운 영주의 가슴에 발을 올렸다. 그대로 짓누른다. 괴로운 듯 발버둥 쳤지만 그마저도 힘을 주니 저항을 멈춘다.

하지만 이걸로 끝났다고 생각했다면 오산이다. 바닥을 짚고 있는 영주의 손가락에 칼을 견준다. 네 개의 손가락이 순식간에 검신에 닿았다.

"이 꽉 물어."

이따위 인간 때문에 기사를 벌써 열 명이나 잃었다니.

억울해서 말도 나오지 않는다.

"조금이라도 소리를 내면 이 손가락을 하나씩 자르겠다."

"으, 으악—!"

분명히 경고했건만 막상 칼날이 제 살집을 파고드니 그런 경고는 까맣게 잊어버린 모양이었다. 소리 지르며 발버둥 치는 모습을 보니 이제 좀 기분이 풀린다.

하지만 아직 멀었지.

진짜로 네 손가락을 모조리 베기라도 할 요량으로 마치 볏단을 자르듯 검을 움직인다. 진득한 핏물이 순식간에 검신을 붉게 물들인다. 이미 바닥은 피 웅덩이로 잔뜩 질척해졌고, 카이텔의 옷과 뺨에도 붉은 피가 튀었다. 그에 곁에서 항상 이런 걸 볼 수밖에 없었던 수행원들은 조용히 다들 시선을 돌린다. 이미 지나친 고통에 영주는 실신 직전까지 간 상태였다.

부러 더 고통스러우라고 천천히 자르고 있는 건 알고 있는 걸까? 대체 얼마나 그러고 있었던 건지 모르겠다. 다만 이제 더 고통을 줄 일도 없으니 깔끔하게 끝내 줘야겠다는 생각을 했을 때였다.

"아빠!"

문득 들린 낯익은 목소리에 손이 멈칫한다. 저도 모르게 칼을 잡고 있던 손에 힘이 빠져 제 스스로도 놀랐다.

이 목소리는······.

아니, 자신을 이렇게 부르는 사람은 이 세상에서 단 한 사람밖에 없다.

"나가!"

정신이 번쩍 든다. 날뛰고 있을 때면 모르겠는데 정신을 차리고 나니 이 상황이 어떻게 보일지 자각되었다. 다행히 리아가 들어오기 전에 수행원들이 밀려 나간다. 딸아이가 잘린 손을 보지는 않은 모양이었다.

저도 모르게 창백해진 안색으로 카이텔은 자리에서 일어섰다. 고통스러워 하는 제 눈앞의 남자는 이미 보이지도 않는다.

운이 좋군.

손가락은 아직 다 잘리지도 않았다. 그럼에도 카이텔은 검을 털고 끝냈다. 고통에 허우적대다 기절한 듯 반응이 없다. 그 모습은 여전히 혐오스러웠지만 그래도 더 손을 쓸 마음은 사라졌다.

그저 빨리 이 풍경을 없애야 한다는 결심만이 머릿속에 강하게 든다. 순간이었지만 자신이 이러고 있는 걸 딸에게 보여 주면 안 된다는 그런 생각을 했다.

일부 시종들이 기절한 영주를 데리고 방을 나간다. 분명 태의원으로 데려가는 것이겠지. 뒤처리를 하는 수행원들의 움직임은 일사불란했다. 그건 그렇다 치는데……

이제 서서히 이성이 돌아오니 머리가 돌아간다.

원래대로라면 리아는 지금 이 시간에 여기 있을 이유가 없다. 그러나 방금 그 목소리는 제 따님이 확실했다.

뭐지?

것보다 더 카이텔을 난색하게 한 것은 다른 것이었다.

어쩌지?

지금 어떤 얼굴로 제 딸을 보아야 할지 모르겠다. 아니, 어떻게 대해야 할지도 난감했다. 무슨 말을 해야 하지? 도무지 뭘 어떻게 해야 할지 하나도 모르겠어서 나가지 않고 가만히 제자리에 있으려니 슬그머니 문이 열리고 리아가 고개를 내민다.

그 얼굴을 보니 또 기분이 풀렸다.

그렇다고 이 상황을 그냥 넘어갈 수 있는 건 아니었지만. 이건 누가 의도하지 않고선 일어날 수 없는 상황이다.

"……대체 누가 부른 거지?"

리아가 영문을 모른다는 표정으로 고개를 갸웃한다.

"아빠가 불렀다고 해서 온 건데?"

이런 대답이라니. 그럼 범인은 뻔했다.

페르델.

이 자식이 진짜!

"예, 폐하께서 부르셨습니다. 자, 얼른 달려가서 안기셔야지요, 공주님!"

언제 왔는지 그 얄미운 낯짝을 들이밀며 페르델이 싱글벙글 웃는다. 대놓고 노려보자 자기는 아무것도 모른다는 양 고개를 돌린다.

잘도 깐죽거리는 모양이 당장 패지 않고서는 미칠 것 같다.

일부러 노린 거다. 분명히 그랬다.

전에도 몇 번 이런 일이 있었지. 카이텔은 입술을 깨물었다. 그가 너무 심하게 날뛴다 싶으면 언제부턴가 리아가 나타났다. 일단 다짜고짜 저놈을 팰 수는 없으니까 카이텔은 참았다. 아니, 얼마든지 팰 수 있었지만……. 어쩐지 제 손에 묻은 피가 신경 쓰였다.

아직 닦지 못한 피가 엉기는 기분이다. 기분 나빠.

카이텔은 조용히 리아를 돌아보았다. 갑작스런 시선에 리아가 고개를 갸웃한다. 하지만 유난히 이 상황이 불쾌한 건 그 눈동자에 이런 자신의 모습이 담겼을지도 모른다는 사실 때문.

"아시시."

"예, 폐하."

눈짓을 주니 아시시가 리아를 데리고 나간다.

아마 가까운 휴게실으로 가 있겠지.

그렇게 저랑 둘만 남으니 자신이 죽을 위기에 처한 건지는 아는 모양인지 페르델도 소리 소문 없이 사라진다. 평소라면 그 목덜미를 잡아채서 분이 풀릴 때까지 패겠지만 지금은 어째 그럴 기분이 아니었다.

얼른 흐르는 물에 제 뺨과 손을 씻으며 괜한 고뇌에 번민한다.

무언가 난생처음으로 피를 보는 게 거북했다. 이 손에 피를 묻히기 시작한 이례로 처음 있는 일.

분명 평소 제 하던 짓과 별로 다를 바 없는 행동이었건만 대체 왜 그러는 걸까? 자신은 원래 이런 놈인데, 왜 이런 기분이 드는 거지?

무언가 잘못됐다. 그리고 동시에 무언가 잘못한 기분이었다.

항상 하던 대로 한 건데, 왜?

그 이유를 안다.

아니, 모를 리가 없었다.

"……개새끼."

이가 갈린다. 페르델, 그 개새끼가!

어쩐지 순순히 대답하더라니. 아마도 제가 집무실을 떠난 이후, 그 길로 바로 리아한테 간 모양이다.

어째서인지 이런 모습을 따님에게 보이는 데 그가 망설인다는 걸 안 순간부터 종종 벌이는 짓이다. 그래, 자신이 싫어하는 걸 알면서도 이런 대담한 짓을 벌이는 건 그 개새끼밖에 없지.

속이 들끓었다. 그렇다고 어떻게 할 수 있는 것도 아니다.

"하!"

대체 언제부터 이렇게 된 거지? 모르겠다. 그러나 모른다고 넘기기에는 상태가 너무 심각했다. 언제부터인가 제 딸 앞에선 칼을 꺼내는 것조차 망설여지는 자신을 누구보다 잘 안다. 대체 왜?

그런 고민으로 머리가 터질 것 같은데 다른 고민이 제 숨을 턱 막히게 한다.

봤을까? 봤으려나?

조금 전의 그 장면, 보지 않았다고 생각하고 싶었지만 그렇다고 비명 소리마저 듣지 않았을 거란 생각은 하지 않았다. 기분이 다시 밑바닥까지 치닫는다.

"아빠!"

못 들었을 리가 없는데, 그래도 평소와 변함없는 모습으로 그를 맞이한다. 마주하는 붉은 눈동자가 너무나 맑다. 그래서인지 입이 차마 쉽게 떨어지지 않는다. 보았냐고, 물을 수가 없다.

"무슨 일 있어?"

"네가 신경 쓸 일이 아니다."

저도 모르게 쳐 내다 너무 차가운 대꾸에 스스로 놀란다. 이러려고 한 게 아닌데, 잠시 당황해서 입을 다물었지만 다행인지 리아는 별 신경을 쓰지 않는 눈치였다. 그저 고개만 갸웃갸웃할 뿐.

"그래? 뭐야, 괜히 걱정했네."

평소와 다름없는 모습에 괜히 마음이 놓인다. 그리고 빙그레 웃는 미소에 괜히 더 기분이 처참해졌다.

처음엔 그랬었다.

한없이 호의를 보이는 이 눈동자가, 무한한 신뢰가 가득한 시선이 마냥 거북했다.

내가 어떤 인간일 줄 알고, 내가 자길 죽일지도 모르는데.

손에 힘만 준다면 언제든지 부러질 나약한 생명이건만 그런 주제에 저를 얼마든지 죽일 수 있는 인간에게 한없이 신뢰를 보낸다. 그 얼마나 멍청한 짓인가.

그러나 막상 짓밟고 뭉개고 싶을 때가 오면 작게 들리는 아이의 규칙적인 숨소리가 그런 파괴적인 욕구를 다독여 주었다. 일부러 누른 것도 아닌데, 슬금슬금 그런 마음이 사그라진다.

"뭐, 또 대신 아저씨들이랑 실랑이한 거야?"

……이젠 이 눈동자를 보면 그런 생각이 든다.

좋은 사람으로 보이고 싶다. 아니, 나쁘지 않은 모습만 보여 주고 싶다. 대체 이런 감정은 뭐라 표현해야 하는 거지? 모르겠다. 그로서는 알 수 없는 감각이었다.

하지만 분명한 건 이 눈엔 절대 피 비린내 나는 장면을 보여 주고 싶지 않다는 거다.

왜, 꼴에 제 딸한텐 좋은 아버지이고 싶나 보지?

마음속에서 스스로를 비웃는 소리가 들려왔지만 차마 그 비웃음에 어떤 반박도 하지 못하고 침몰한다.

그래, 그래.

절대로 이 눈동자가 보내는 신뢰를 배반하고 싶지 않다.

"또 막 성질부렸구나. 안 봐도 뻔하지."

알 만하다는 표정으로 거만하게 고개를 끄덕이는 아이의 모습이 웃기다. 카이텔은 결국 굳었던 표정을 풀었다. 카이텔이 웃자 리아가 신이 나는지 다가와 손을 잡는다.

아까 피가 묻었던 손이라 잠시 멈칫했지만 카이텔은 곧 제 손에 감기는 따스한 온기에 녹아드는 자신을 발견했다.

"근데 아빠, 나는 아빠가…… 모두에게 좋은 사람이었으면 좋겠어."

아이가 맑은 눈으로 올려다본다.

너무나 깨끗한 시선에 괜히 목이 메었다.

"왜? 나쁜 사람이면 부끄럽기라도 한가?"

진심이 아닌 뾰족한 말에 아이가 웃으며 고개를 가로젓는다.

"아니."

그 모습이 어찌나 예쁜지 그 순간 아이는 진정 눈이 부셨다.

"좋아하는 사람이 욕먹는 건 싫으니까."

사심 없는 미소가 제 마음을 비춘다. 그런 욕심은 한 번도 부려 본 적이 없는데, 이 아이가 자신을 좀 더 나은 사람으로 만든다.

처음이었다.

좋은 사람이 되어 보고 싶다는 생각을 한 것은.

* * *

과연 다른 아이가 있었더라도 그런 생각을 했을까?

문득 그런 의문이 든다. 제 품에 안긴 이 아이가 아니어도 과연 내가 그런 생각을 했을까— 하는 작은 의문. 그건 사실 해결되지 않아도 아무런 상관없는 그런 궁금증이었다.

허나 그런 생각을 한 지 얼마 지나지 않아 나타났다.

그 또 다른 아이가.

이건 대체 무슨 운명의 장난이란 말인가. 솔직히 말해 흥미로울 정도였다. 매번 제 아이를 죽여 댄 남자가 할 말은 아니지만 어쩌면 비교 대상이 필요한 것이었지도 모른다.

내가 정말 이 아이를 아끼고 있는 건지, 어떤 건지.

적은발이긴 하지만 그보단 그냥 적발이라고 하는 게 더 옳을 정도로 붉은 머리를 가진 사내아이는, 척 보기에도 자신과는 닮은 점이 단 하나도 보이지 않았다. 제 아이랍시고 데리고 왔지만 저게 어떻게 내 아들이냐며 비웃었을 정도. 만약 '당신의 아들'이란 말을 그런 공개적인 자리에서 하지 않았다면 상대도 하지 않았을 것이다.

물론 보자마자 알아차렸다.

이 사내아이가 진짜 제 자식이 아니라는 것 정도는.

무엇보다 제 따님에 비해 확연히 어린 나이가 그 사실을 증거하고 있었다. 되짚어 보니 놀랍지만 확실히 딸과 잠에 들기 시작하면서부터 여인을 가까이 하지 않은 것이 사실이다.

그럼에도 바로 제 아들이 아님을 바로 밝히지 않은 건 그저 확인을 해 보고 싶었기 때문이었다. 물론 이렇게 금방 들킬 거짓말을 하는 공주의 진위를 가려 보고 싶은 마음도 있었지만.

"제일란드, 인사해야지."

기억조차 흐릿한 여인에게서 나온 남자아이는 솔직히 카이텔 눈엔 어딘가 모자라 보였다. 어디에서나 활발한 제 따님과는 전혀 다른 아이. 제 어미 옆에 꼭 붙어 정서 불안처럼 눈치를 보는 모습이 귀여울 리가 없다.

가끔 제 따님도 대체 어디서 저런 생물이 태어난 건가 궁금해지긴 했지만 이건 정말 놀라울 정도였다.

저런 놈이 내 자식이라?

그렇게 주장하는 어미가 같잖았지만 만약 진짜 아들이라고 했어도 마찬가지였다. 따님 덕에 희석되긴 했지만 저를 마주하는 어린아이는 원래 거의 다 저런 식이었다.

"어, 엄마."

자신을 보고 두려운 듯 몸을 움츠리는 어린아이의 모습은 별로 낯설지 않은 풍경이었다. 딱히 이 아이가 아니라고 해도 자신을 보고 겁에 질리는 아이는 많았다.

그것이 귀엽냐고 묻는다면……, 글쎄.

그저 짜증만 유발할 뿐 그 어떤 다른 감정도 느껴지지 않는다.

진짜 아들이었다 해도 제 자식으로 인정하진 않았겠지만 거기에 딱히 거창한 이유가 있어서 그런 건 아니다.

그냥 마음에 안 들었다.

리아를 제 딸이라 가까이 한 것이 아니듯 이 아이도 제 아들이 아니라 가까이 하지 못한 것이 아니다.

"당신의 아들입니다. 누가 뭐래도 저는 당신의 아이라 생각하고 기르고 있습니다."

어차피 금방 들통 날 텐데 어째서 이리 악착같이 구는 건지. 사실을 인정하면 죽을 거라 생각해서인가?

하지만 사실을 인정하지 않는다고 해도 죽는 건 똑같았다. 정말로 마음만 먹는다면 제 아들인 게 사실이건, 사실이 아니건 상관없다. 그게 지금까지 살아온 카이텔의 삶이었다.

"황족 기만죄는 엄중 처벌의 대상인데?"

"제가 어찌 당신을 기만하겠습니까."

그러면서도 떨고 있는 모습은 한 떨기 꽃처럼 가녀렸다.

웃기는군. 황제의 조소에 여인은 그저 입을 꾹 다문다.

"제가 낳은 아이가 딸이었다면…… 그랬다면 당신의 그 공주처럼 인정해 주셨을 겁니까?"

사랑받지 못하는 게 구슬픈지 여인이 울 것 같은 표정을 짓는다. 익숙한 얼굴이다. 저를 보던 여인들이 하나같이 짓던 표정이었다. 그리고 어미도 언제나 저런 표정으로 아버지를 바라보곤 했었다.

"그랬다면"

지겨워.

"네가 죽어야 했겠지."

아마 이 여자가 죽는다고 해도 있지도 않은 그 딸이 리아와 똑같은 대접을 받을 거란 생각은 들지 않았다. 그건 리아라서 그런 거니까.

어쨌든 그 사내아이가 제 아이가 아닌 것은 확실하건만 취하는 자세가 완고하다.

무언가 다른 불안이 든다.

그래서였을까. 평소라면 전혀 신경도 쓰지 않았을 텐데 그런 당부를 한 것은.

불안했다. 아직 터지지 않은 화약이 어딘가에 굴러떨어져 심지에 불이 붙기만을 기다리는 것 같은 기분이었다. 그게 무엇인지는 아직 모르겠지만 그래서 더 자신을 이런 기분으로 몰아간다는 사실은 알고 있었다. 평소라면 전혀 신경도 쓰지 않았을 텐데.

확실히 그 모자에겐 신경을 쓰지 않는 게 좋았고, 그건 제 따님도 마찬가지였다. 최대한 얽히지 않게, 답지 않은 당부까지 했다만……. 그 두 아이가 마주친 것을 제 눈으로 확인했을 때 알 수 있었다.

자신이 무엇에 그리 불안해 했는지를.

황궁 안에서 항상 감싸여만 산 따님은 아직 지독한 적의가 어떤 것인지 알지 못한다. 호의를 가장한 적의가 어떤 것인지 알지 못한다. 그걸 모르도록 키운 것은 자신.

알게 하고 싶지 않았다.

그런 세상을 보여 주고 싶지 않았다.

"나한테 뭐 할 말 없나?"

문득 처참한 기분이 든다.

이 아이는 과연 내가 그런 생각을 한다는 걸 알고나 있을까?

이미 다 목격한 마당에 모르는 척 따위 해 주고 싶지 않았다. 만약 가만히 놔둔다면 그 모자를 만나겠지. 후궁에서 마주친 여인을 매번 챙기는 것처럼 두 사람을 챙기기 시작하겠지.

안 봐도 뻔했다. 아이는 자신과 다르니까.

그래서 싫다. 그런 짓을 하는 것도, 두 모자와 리아가 만나는 것 자체도.

"분명 만나지 말라고 했던 것 같은데."

하지만 싫은 마음보다 저를 더 처참한 기분으로 몰아넣은 건 그의 당부를 너무 가볍게 여기는 딸의 태도였다.

"그게 내가 만나려고 한 게 아니라······."

변명을 듣자고 시킨 말이 아니다.

아이를 지키는 유모에게 시선을 돌렸다. 그가 이러라고 유모를 붙여 둔 게 아닐진대 어찌하여······. 서늘한 시선에 세르이라가 창백한 얼굴로 물러났다.

이건 정당한 분노였다.

제 아이를 제대로 간수하지 못한 유모에게 느끼는 정당한 화. 그러나 리아는 그걸 이해하지 못했다. 그리고 그게 더 그를 화나게 했다.

그래, 이해를 바라지는 않는다. 아이는 더 제멋대로 굴 것처럼 대꾸했다. 아직도 이 일이 그렇게 대수롭지 않은 일처럼 느껴지는 모양이다. 그리고 그건 유모도 마찬가지였다.

그럼 어쩔 수 없지.

그 모자가 사라질 때까지 가둬 두는 수밖에.

"그 말은 지금 날 가둬 놓겠다는 거야?"

그게 어떻게 충격이 된 건지 모르겠다.

아이는 잔뜩 구겨진 표정으로 못 들을 걸 들었다는 듯 되레 화를 냈다. 그리고 그런 아이의 건방진 태도에 슬슬 제 자신도 화가 났다.

이쯤 되면 참아 주는 것도 한계가 온다. 도대체 지금 봐 주고 있는 사람이 누구라고 생각하는 거지? 그나마 이 정도로 끝나는 게 다행이라고 생각하지 않는 건가?

언제 이렇게 건방지고 말을 안 듣는 아이가 된 건지, 평소엔 잘만 제 말을 듣던 그 아이가 맞는 건지 확인까지 해 보고 싶었다.

짜증이 나.

이렇게 어린아이한테 이런 감정이 솟구치는 게 정상인지 모르겠지만 마음 같아선 닥치라고 윽박지르고 싶었다.

"아빠 같은 거 정말 싫어! 아빠랑 다신 얼굴도 안 볼 거야!"

이게 쉽게 해결될 문제가 아니라는 건 저도 알았다. 그러나 아이가 등을 돌리고 도망을 간 순간, 제 머리에서 이성이라는 게 끊어졌다.

감히 누구 앞에서 도망을 치는 거지?

일단 가둬 놓고 서로 기분이 풀리면 대화를 해 보려던 생각은 단번에 날아갔다. 분노가 불같이 인다. 저를 싫다고 말하는 것도 용서가 안 되는데, 감히 도망을 가?

"끌고 와!"

기분은 이미 최악을 달리고 있었다. 아무나, 누구라도 걸리면 다 죽여 버리고 싶은 기분이었는데, 말 잘 듣는 다른 수행원들과 달리 한 존재가 또 제 발목을 잡는다.

"폐하, 그러시면 안 됩니다."

"비켜."

세르이라가 무릎을 꿇은 채로 외쳤다.

"아무리 화가 나셔도 말로 타이르셔야 합니다. 폐하, 폭

력은 좋지 못해요. 하물며 강제로 가둬 두시겠다니. 안 될 말입니다. 제발, 부디 통촉해 주시옵소서."

……원래 이렇게 우직한 여인이라는 건 알고 있었지만 지금은 도무지 이 우직함을 용납해 줄 기분이 아니었다. 카이텔은 최대한 끓어오르는 화를 참았다.

"지금 자신이 누구 앞에서 그런 말을 하는 건지 자각은 있는 건가?"

일종의 경고였는데, 오히려 기겁을 하며 더 떠들어 댄다.

"폐하, 그런 식의 방법은 오히려 서로에게 상처만을 남깁니다. 영명하신 분이시니 잘 아시겠지요. 제발, 부디."

이미 그녀가 지껄이는 말은 귀에 들어오지도 않았다. 그저 자꾸만 자신을 잡고 있는 게 짜증 난다. 감히 누구 앞길을 막는 거지?

그래서 결국엔 내가 잘못했다는 건가? 이 여자도?

"내가 자신만은 건드리지 않을 거라 착각하는 건가? 옛 은혜로 봐주는 것도 한계가 있다. 비켜."

"그렇지만 폐하."

"끌어내!"

더 이상 저 얼굴도, 저 목소리도 보고 싶지 않았다. 아마 계속 제 옆에 있으면 칼을 뽑아 들고 달려들지도 몰랐으니까.

"하오나, 폐하! 이런 식의 방법은……."

사실 사형을 내린 건 머리끝까지 치솟은 화 때문에 제멋

대로 내린 명령. 분명 후에 이성을 찾으면 후회할 거라는
사실도 머리로는 알고 있었다. 하지만 그땐 그러지 않고는
도무지 분이 풀리지 않았다. 제깟 게 무엇인데, 감히.

분을 삭이려 바로 연무장에 가 봤지만 평정을 잃은 검은
흔들리기만 뿐 도무지 무언가를 해소해 주지 않았다.

그 이후 시빗거리를 찾아다니는 하이에나처럼 궁을 한번
휘젓다가 결국 한다는 짓이 제 침실에 처박혀 읽던 책이나
읽는 거였다. 그나마 꾸역꾸역 억지로라도 책을 읽으니 좀
나은 기분이었다.

만나러 오리란 건 알고 있었다.

그러나 분명 공주를 발견하면 제 방에다 가둬 놓으라 명
령했을 텐데, 정작 모습을 드러낸 건 자신의 눈앞이다.

"왜 온 거지?"

밉다고, 싫다고 가 버린 거 아니었던가. 그런 주제에 용
케도 찾아왔다. 다신 안 본다고 들은 게 고작 몇 시간 전인
것 같은데 말이지.

제 어미와 같은 여인을 죽인다고 하니, 그래서 온 건가.

"세르이라 풀어 줘."

역시나. 그의 예상이 틀리지 않는다.

하지만 정답을 맞춰 놓고도 기분이 더러웠다. 그렇게 도
망가 놓고 와서 처음으로 한다는 말이 유모를 풀어 달라는
소리뿐이라니. 죄송하다는 말도, 그렇게 가서 미안하다는
말도 아니다.

"내가 왜?"

상황 파악도 못하고 주제도 모르고 헛소리를 늘어놓던 여자를 왜? 어째서 풀어 줘야 하지? 풀어 줄 생각이 있긴 했지만 이렇게 말하니 들어주고 싶지 않다. 그 여자가 주제 넘은 건 사실이니까.

"풀어 달라고."

"싫다면?"

"세르이라는 아무 잘못도 없잖아! 아빠가 세 살짜리 어린 애야? 화났다고 아무나 가지고 화풀이하게?!"

도대체 누가 화를 내야 하는데 이리도 적반하장이란 말인가.

저 팔을 잡아채 그 입을 틀어막고 싶다. 네가 대체 지금 무슨 짓을 하고 있느냐고 윽박지르고 싶었다.

"대체 언제부터 그렇게까지 유모를 따르게 된 거지? 네 아비 말은 전혀 듣지도 않으면서?"

오히려 미쳤냐는 소리나 하고 앉아 있더니, 이젠 아예 대놓고 요구한다. 제 말에 반박할 말은 없는 건지 말없이 노려보던 리아가 입을 꾹 깨문다. 자신을 노려보는 큰 눈동자에 눈물이 고인다. 울음을 참는 듯 울지 않으려고 애쓰다 결국 그 큰 눈에서 눈물이 넘쳐흘렀다.

"세르이라 풀어 줘, 이 못된 놈아! 엉엉, 나한테 왜 이래?"

서럽게 울어 대는 모습에 갑자기 피가 식는다.

그가 다그칠 땐 울지도 않던 아이가 곧 죽을 듯 울어 댄다. 울릴 생각은 절대 아니었다. 원래 잘 울지 않는 아이라 이렇게 울 것이라고는 생각조차 못했다.

……이러려고 한 건 아닌데.

결국 다 저를 위해 한 행동인데, 어떻게 이렇게 모를 수가 있지? 이젠 만사가 다 귀찮다.

"네 아빠보다 그런 여인이 더 소중하다는 건가?"

이렇게 목 놓아 울 정도로?

그 여인을 무척 따른다는 건 알고 있었지만 그래도 역시 이런 걸 바로 눈앞에서 확인하는 건 그리 좋은 기분은 아니었다. 그래도 머리끝까지 치밀었던 화는 식었다. 이건 좋은 건가. 아이의 울음소리에 제정신이 말짱히 깨어나는 기분이다.

"무슨 소리야? 세르이라는 아빠가 준 유모잖아."

아까는 그렇게 잡아 죽이고 싶을 정도로 미웠는데, 이렇게 훌쩍이는 걸 보고 있으니 화가 풀린다. 분명 손만 뻗으면 잡초처럼 스러져 나갈 것이 분명한데, 그렇게 분노했으면서도 그럴 결심은 생기지 않는다. 너무나 얄미운 마음에 붙잡아 짓이기고 싶었는데, 막상 하려고 하니 손이 멈칫할 뿐 제 마음대로 따라 주지 않았다.

손에 힘이 들어가지 않는다. 저도 모르게 멈칫하는 감각은 참으로 불쾌한 것이었다. 자신의 몸이 자신의 말을 듣지 않는 기분. 마치 지배당한 것 같았다.

그러나 그 불쾌함이 저를 지배하기도 전에 이 눈동자가 알듯 모를 듯 달래 준다. 따스한 봄 햇살이 눈을 녹여 주듯 그렇게 내리쬔다. 끝도 없이 뻗어 나가는 파괴 본능을 그렇게 다독인다.

"앞으로 나한테⋯⋯ 함부로 등 돌리지 마라."

그건 다시는 겪고 싶지 않은 경험이었다.

그래, 저를 비난하고 등 돌리는 따님을 본다는 게 이렇게 고통스러운 건지 몰랐다. 같이 있기만 해도 된다. 이 아이에게서 도무지 눈을 뗄 수가 없다.

짓밟고 뭉개고 부서뜨리고 싶다가도 안아 주고 말을 들어주고 다정하게 위로해 주고 싶다. 이런 느낌은 대체 뭐라 하는 걸까?

지켜 주고 싶고, 망가뜨리고 싶은─.

도망치느라 어디에 긁힌 건지 하얀 피부에 붉은 상처가 남아 있었다. 넘어진 건지 무릎에서는 피가 난다. 그 모습이 기분을 더 묘하게 만들었다. 이렇게 연약한데 조금이라도 더 힘을 주면 망가지지 않을까?

"당신을 저주합니다. 날 이렇게 만들고 내 아이마저 죽일 당신을 절대 용서하지 않아요."

아이의 어미가 생각난다.

"만약 이 아이가 죽게 된다면 당신은 모든 걸 잃게 될 겁니다. 하지만 이 아이가 살아남는다면……."

그 여인이 내뱉은 저주 아닌 저주.

"다른 의미로 후회하게 만들 겁니다."

후회는 이미 벌써부터 하고 있다. 조용히 제 품 안에 자신의 하나밖에 없는 딸을 안으며, 카이텔은 나지막이 누구인지 모를 상대에게 빌었다. 제발, 부서지지 않길.
·····부서뜨리지 않길.

부록. 대륙의 나라들

부록. 대륙의 나라들

[북부] 천사가 강림한 땅

스헤르토헨보스S-hertogenbosch : **천사의 제국**

상징 : 세 쌍의 날개가 달린 구름꽃
국화 : 구름꽃 프리나

천사가 강림해서 기존의 북부를 개편해 세운 나라가 바로 이 신성제국.

성흔을 가진 이를 우대하며, 왕족이 아니라도 성흔만 가지고 있다면 왕족이다. 성흔이 명확하고 그 문양이 정확할수록 신성력을 가지며, 성흔을 가진 자만이 계승권을 가질 수 있다.

천사의 핏줄을 매우 신성시하고 있으며, 구름꽃 신화가
곧 건국 신화. 북부의 지배자로서 가장 영향력이 강하다.
원대대로라면 빙토氷土가 많아야 정상이지만 성스런 장벽이
인간이 살 수 있게 도와주어 그런 일이 없다. 이 장벽을 유
지하는 것이 성황이기 때문에 절대왕권이 무너지기 가장
어려운 나라이다.

부레티Bureti : 북마녀의 왕국

상징 : 사슴뿔 달린 오팔
수호신 : 검은 흑표범

스헤르토헨보스가 건국하기 이전 가장 위세가 높았던 왕
국. 모계 승계, 모계 혈통의 전통이 깊으며, 왕가에 마녀의
핏줄이 흐른다고 전해진다. 원래는 여왕 체계였으나 서서히
남성 중심으로 변하고 있다. 성향은 스헤르토헨보스와 정반
대. 때문에 성흔을 가진 자와 닿으면 거부반응으로 눈동자
색이 변한다고 한다. 스헤르토헨보스 제국과는 적국 관계.

유프레히트uprehit : 성스런 눈물의 땅

상징 : 아홉 개의 별이 새겨진 십자가

특색 : 성수가 흐른다는 강이 있음.

스헤르토헨보스에서 박해받았던 전 지도층들이 밀리고 밀려 내려온 땅에서 새로 세운 연합국. 엔페스, 이네이프, 스리트, 레유가 그 넷이다. 각각 나라가 독립되어 있으며, 연합국이긴 하지만 전쟁 같은 무력 외엔 같이 행동하지 않는다. 성수 전설이라고, 천사 강림으로 박해받고 쫓겨난 그들에게 신이 거처를 마련해 주었다는 전설이 전해져 내려온다. 때문에 수도 알레테아는 거의 성지. 북제국과 사이가 좋지 않고, 교리와 종교도 좀 다르다. 부레티와 공생적 관계이긴 하지만 친하다고는 할 수 없다.

안두르스Andurs : 첫째가 세운 왕국

상징 : 세 개의 다이아몬드

다이아몬드가 많이 나서 부유한 왕국. 천사의 세 자녀 중 첫째 아들이 세운 나라다. 전통적으로 제국의 영향력 아래에 있고, 사이도 좋으나 제국의 식민지는 아니다.

레이덴Leiden : 둘째가 깃든 땅

상징 : 끝을 맞대고 있는 두 개의 잔

온건파에 중립지대로 생각되는 왕국으로 북부의 거의 모든 국제 재판을 도맡아 한다. 외교의 중심지이자 상업의 중심지이기도 해서 의외로 경제적 수준은 높다. 천사의 둘째 딸이 시집간 나라로 부레티를 제외하고 유일하게 천사 강림 이후에도 살아남은 왕국이다.

코벤트리Coventry : 막내의 샘

상징 : 세 개의 꽃잎

인재가 많은 나라. 상대적으로 안드루스와 레이덴보다는 가난하다. 제국의 원조를 가장 많이 받고 있으며, 북부로 올라가는 길목에 자리 잡고 있어서 흔히 북부의 문지기란 별명으로 불리기도 한다.

헤센Hessen : 잃어버린 자들의 고향

상징 : 한 쌍의 날개가 달린 거북이
수호신 : 거북이

스헤르토헨보스를 비롯한 여러 국가들에 치여 박해받던 자들이 배를 타고 도착한 무인도에서 세운 공화국. 원로원에 의해 통치된다. 사실은 섬이 아니라 전설 속의 영물의 등일지도 모른다는 전설이 있다.

[중부] 대정령의 숨결이 닿은 땅 ─────

아그리젠트Agrigent : **겨울의 제국**

상징 : 다이아몬드를 뿌리로 감싼 겨울나무
국목 : 겨울나무

　대정령의 막내 아이라고도 하는 겨울 정령의 전설이 내려오는 나라. 대정령의 직접적인 가호를 받았다는 전설이 있어서 아그리젠트의 국왕을 복음(=에반젤리움Evangelium)을 받은 자라고도 칭한다. 애초에 겨울 정령의 아이들이라고 부르기도 한다. 희귀한 종류의 정령석이 많이 나고 제법 부강하다. 다른 정령과도 상성이 나쁘지 않아서 사계절이 골고루 나타나지만 직접적으로 믿는 신앙은 대정령과 겨울 정령뿐이다.

랑그르Langres : **꿀이 흐르는 왕국**

상징 : 큰 별을 품에 안은 긴 머리의 여인

땅의 거의 대부분이 불모지, 사막이다. 살기 척박하며, 국민 대부분이 일부 오아시스와 얇은 물이 흐르는 개울이나 시냇물 주변에서 살아간다. 부족제의 전통이 있으며, 자연환경 탓인지 가장 강한 자를 숭배하는 풍습이 있다. 강한 자에겐 비굴한 것이 나쁜 게 아니라는 인식이 만연하며, 그래서인지 암살자가 많다.

랑그르의 두 번째 왕이 여름 정령을 데리고 장난을 치는 바람에 여름의 저주를 받아 황폐화된 대지가 대부분이라는 전설을 가진 나라. 그나마 이를 가엽게 여긴 가을 정령의 가호 덕에 굶어 죽지 않을 만큼의 식량은 구할 수 있다는 이야기가 전해진다. 때문에 모순되게도 꿀이 흐르는 땅이라 불리며, 가을 정령을 숭배한다.

앤시프Annsip : 봄의 나라

상징 : 화관을 쓴 사과
수호신 : 암사슴

봄의 정령의 가호를 받아 일 년 내내 기후가 봄 기후다. 아그리젠트 정복 전쟁으로 인해 가장 많은 숭배를 받았던 봄 정령의 나라가 이제는 앤시프밖에 남지 않았다. 수많은 꽃이 피고, 늘 푸르른 들판에서 사시사철 나는 과일이 제일 유명하다. 그 어떤 땅에서보다 꽃향기가 더 흐드러지고 과

실이 달콤하다. 앤시프의 일부 숲에선 요정이 아직도 발견
된다고 한다.

파르텐-키헤른Parten-Kicheren : 여름 정령의 은거지

상징 : 스푼에 얹어진 태양
국목 : 사철나무/국화 : 해바라기

화가 난 여름 정령이 숨어들었다는 나라. 원래는 여름 정
령을 모시는 평범한 나라로 여러 국가로 나누어져 있었는
데, 북부에 천사 강림 이후 북부 주민들이 많이 몰리는 바
람에 위기감을 느낀 나라들끼리 연합하면서 지금의 형태로
굳어지게 되었다. 연합국이라고 말하지만 유프레히트와 다
르게 거의 하나의 국가에 가까우며, 파르텐과 키헤른 두 공
동 통치자의 지배를 받는다.

[남부] 레기온 신들의 땅

프레치아Praezia : 레기온의 왕국

상징 : 펼쳐진 책 위로 교차된 칼과 창
성물 : 중용의 잔, 교화의 관, 매혹의 목걸이, 참회의 반지

그 옛날 레기온 신들이 살면서 나란히 돌봐 주었다는 제국. 그 증거로 그들이 선물한 성물들이 지금도 존재하고 있다. 성물은 레기온의 지고한 지배자만이 사용하는 것이 가능. ─혹은 신의 인정을 받은 자, 신의 핏줄을 이어받은 자만이 가능하다.─ 신들의 가호로 오랜 시간 제국의 전통을 유지할 수 있었으나 최근 아그리젠트에 의해 정복당했다. 큰 땅덩어리를 편히 다스리기 위해 북과 남 각각의 내각 수장을 둔 것이지만 도리어 황권을 갉아먹고 있다.

토로레Torore : **빛의 왕국**

상징 : 성검 토로레
성물 : 토로레의 성검빛의 성검

빛의 신 헤르마윈이 하사한 성검을 받은 기사가 세운 왕국.

전통적으로 기사가 우대받고 병력이 우수하다. 고지식하고 진리를 섬기는 자들이 많기 때문에 대체로 명예를 중시여기고, 금욕적이다. 핏줄과 관계없이 가장 강한 기사가 왕위를 잇는다.

이차르타Izarta : **사자**死者**의 왕국**

상징 : 왕관을 쓴 해골
성물 : 사자의 지팡이

사자의 군대로 보호받는 왕국. 대대로 왕이 성물을 사용해서 죽은 자들을 불러들여 산 자를 지키는 데 이용했다. 성물에 대한 계약으로 사자를 무한대로 불러들일 수 있는 힘을 가졌기 때문에 아그리젠트에 의해 붕괴되기 전까지는 무적으로 알려져 있었다.

에스니아E-snia : 현자들의 도시

상징 : 펼쳐진 책에 그려진 별, 초승달과 해
성물 : 죽음의 서, 생명의 서

현자들이 진리를 탐구하기 위해 모인 도시가 커져 생긴 나라. 대현자 에스니아가 도시의 기틀을 마련했다고 해서 그의 이름을 따서 지었다. E는 대현자에게 붙는 성으로 에스니아의 거의 모든 도시가 대현자들의 이름을 본떠 왔다. 대현자들에 의한 공화정이긴 한데 나라 자체가 지형상으로 격리되어 있어서 외세의 침입에 대한 걱정은 없다.

BLACK LABEL CLUB 004

황제의 비망록 : 황제의 외동딸 3권 외전

1판 1쇄 2013년 5월 16일
1판 18쇄 2023년 2월 24일

지은이 윤슬
펴낸이 신현호
편집장 예숙영
편집 박상희 최은지
편집디자인 한방울
마케팅 김민원
물류 이순우 박찬수

펴낸곳 ㈜디앤씨미디어
출판등록 2002년 5월 1일 제117-90-51792호
주소 서울시 구로구 디지털로 26길 111 JnK디지털타워 503호
대표전화 (02)333-2513 **팩스** (02)333-2514
전자우편 dncbooks@dncmedia.co.kr
디앤씨북스 블로그 http://blog.naver.com/dncbooks

비매품